P9-DVS-486

Johann Sebastian Bach

Gemälde von Elias Gottlieb Haussmann
Stadtgeschichtliches Museum Leipzig
Wiedergabe mit freundlicher Genehmigung

Painting by Elias Gottlieb Haussmann
Stadtgeschichtliches Museum Leipzig
Reproduced by kind permission

Tableau de Elias Gottlieb Haussmann
Stadtgeschichtliches Museum Leipzig
Autorisation de reproduction aimablement accordée

Johann Sebastian Bach

Das Wohltemperierte Klavier
Teil I

The Well-Tempered Clavier
Part I

Herausgegeben von / Edited by
Ernst-Günter Heinemann

Fingersatz und Hinweise zur Ausführung von /
Fingering and notes on the execution by
András Schiff

G. Henle Verlag

Inhalt · Contents · Sommaire

Vorwort

J. S. Bachs *Wohltemperiertes Klavier*, erster Teil, ist in einer autographen Reinschrift von 1722 erhalten. Der Titel, der sich bei Bach übrigens nur auf Teil I bezieht, lautet: *Das Wohltemperirte Clavier. oder Praeludia, und Fugen durch alle Tone und Semitonia, So wohl tertiam majorem oder Ut Re Mi anlangend, als auch tertiam minorem oder Re Mi Fa betreffend. Zum Nutzen und Gebrauch der Lehrbegierigen Musicalischen Jugend, als auch derer in diesem studio schon habil seyenden besonderem Zeit Vertreib auffgesetzet und verfertiget von Johann Sebastian Bach. p.t: HochFürstlich AnhaltCöthenischen CapelMeistern und Directore derer Cammer Musiquen. Anno 1722.* Bach formuliert hier den großen Anspruch seiner Sammlung. Sie will pädagogisches Lehrwerk und Herausforderung für den versierten Spieler gleichermaßen sein.

Bach komponierte sein Werk in einer Zeit, in der man sich um die noch heute gültigen Verfahren der temperierten Stimmung von Klavierinstrumenten bemühte, die das Musizieren in allen Tonarten gestattete. Auf nach älteren Systemen gestimmten Instrumenten waren lediglich ausgewählte Tonarten darstellbar. So ist Bachs Interesse an der Erprobung des gesamten Dur-Moll-Bereichs nur zu verständlich.

Welchen Wert Bach dem ersten Teil seines *Wohltemperierten Klaviers* beimaß, zeigt seine intensive Arbeit am mustergültig geschriebenen Autograph, das er seinen Schülern immer wieder als Kopiervorlage für Abschriften zur Verfügung stellte. Das Werk wurde bereits zu Bachs Lebzeiten von Kennern hoch geschätzt, stand aber als allzu retrospektiv – die Form der Fuge galt als veraltet – den musikalischen Modetrends der Zeit entgegen. So erklärt es sich auch, dass die Sammlung erst ca. 50 Jahre nach Bachs Tod zum ersten Mal gedruckt wurde, während sie bereits in zahlreichen Abschriften verbreitet war.

Die wahre Bedeutung des Autographs als der überragenden Quelle für Neuausgaben des *Wohltemperierten Klaviers*, Teil 1, blieb lange verborgen. Fatalerweise hielt man lange Zeit drei der wichtigsten Abschriften, die sich in der Anlage und im Schriftbild um Nähe zum Bachschen Original bemühen, ebenfalls für Autographe – ein folgenschwerer Irrtum. Man sah sich so mit angeblich insgesamt vier Autographen konfrontiert, die in zahlreichen Details voneinander abwichen. Die unterschiedlichen Lesarten hielt man für gleichberechtigte Varianten. Erst die moderne Bachforschung, vertreten vor allem durch Walther Dehnhard und Alfred Dürr, erkannte den wahren Sachverhalt. Drei der vermeintlichen Autographe ließen sich als Abschriften identifizieren, die auf die einzige und authentische Eigenschrift zurückgehen. Die zunächst rätselhaften Textabweichungen waren nun leicht zu erklären.

Bach hatte das Werk 1722 in Reinschrift niedergeschrieben. Hiervon existieren Abschriften, die dieses erste Textstadium festhalten. In der Zeit bis etwa 1732 trug Bach erste Änderungen in sein Autograph ein. Das so überarbeitete Manuskript diente nun wiederum als Vorlage für Abschriften, die ein zweites Textstadium wiedergeben. Wohl nach 1736 unterzog Bach sein Autograph einer erneuten Revision, die sich in Abschriften dieses dritten Textstadiums niederschlägt. In den vierziger Jahren des 18. Jahrhunderts trug er schließlich dritte und letzte Korrekturen ein, die die Endredaktion des Werks (Textstadium 4) darstellen. Die angeblichen Varianten der Quellen entpuppen sich so als von Bach verworfenen Notierungen, die durch die Fassung letzter Hand überholt sind.

Unbestrittene und eindeutige Hauptquelle unserer Ausgabe ist also das Autograph (Staatsbibliothek zu Berlin · Preußischer Kulturbesitz, Mus. ms. Bach P 415, auch im Faksimile erschienen). Folgende Abschriften wurden ergänzend zurate gezogen (darunter die drei irrtümlich für Autographe gehaltenen Handschriften): Abschrift Christian Gottlob Meißner, Haags Gemeente Museum, Den Haag, 69 D 14; Abschrift Anonymus 5, Mus. ms. Bach P 401; Abschrift Anna Magdalena Bach und Johann Friedrich Agricola, Mus. ms. Bach P 202; Abschrift Johann Gottfried Walther, Mus. ms. Bach P 1074; Abschrift Johann Christoph Altnickol, Mus. ms. Bach P 402 (alle: Staatsbibliothek zu Berlin · Preußischer Kulturbesitz, Musikabteilung mit Mendelssohn-Archiv). Die Abschriften Meißner und Walther überliefern das Textstadium 1, Anna Magdalena Bach zeigt das zweite Stadium, Altnickol überliefert Stadium 3; Anonymus 5 geht auf eine Fassung des *Wohltemperierten Klaviers* zurück, die vor Stadium 1 liegt, und lediglich durch nachträgliche Korrektureintragungen auf den Stand des Stadiums 1 gebracht wurde (Meißner, Anna Magdalena und Anonymus 5 wurden fälschlich als Autographe bewertet).

Zahlreiche Abweichungen der Abschriften, sofern sie sich nicht als Konsequenzen der Textstadien 1–4 im Autograph erklären lassen, sind das Ergebnis von Schreibversehen oder stellen eigenmächtige Textveränderungen durch die Schreiber dar. Die Abschriften helfen aber dort, wo das Autograph einmal punktuell schlecht zu lesen oder gar unvollständig ist. So fehlt im Autograph ein Blatt, das die Fuge 13 komplett und die Anfangstakte von Praeludium 14 enthält.

Herausgeberzusätze sind dann eingeklammert, wenn deutlich gemacht werden soll, dass die betreffenden Zeichen (z. B. Bögen, Artikulationsangaben, in ganz wenigen Fällen Akzidentien) im Autograph fehlen. Von dieser Kennzeichnungsmöglichkeit wurde bewusst auch dann Gebrauch gemacht, wenn sich solche im Autograph fehlende Zeichen in Abschriften finden. Diese Maßnahme ist deshalb angebracht, weil Zusätze in Abschriften sicherlich häufig nicht von Bach autorisiert sind, sondern Verbesserungen oder Veränderungen durch die Abschreiber darstellen.

Sporadisch wurden Ornamente im Kleinstich aus den genannten Abschriften übernommen. Auch hierfür gilt, was einschränkend zur Bewertung dieser Sekundärquellen gesagt wurde. Gelegentlich ersetzen die Abschreiber originale Ornamente Bachs durch andere Zeichen.

Hierin und in der von Abschrift zu Abschrift variierenden Art der Ausschmückung zeigt sich der freie Gebrauch der Zeit im Umgang mit den Verzierungszeichen. Insofern dürfen die Ornamente sowohl des Autographs (Normalstich) wie auch die der Abschriften (Kleinstich) als Vorschläge für die eigene Gestaltung aufgefasst werden. Die Zeichen ***tr***, 𝆖 und 𝆖 stehen bei Bach gleichbedeutend für den gewöhnlichen Triller. Die Verzierungstabelle, die Bach im Klavierbüchlein für Wilhelm Friedemann Bach niedergeschrieben hat, erläutert einige für Bach wesentliche Ornamente (siehe Seite VII).

Wichtigere Textprobleme werden in den *Bemerkungen* am Ende dieses Bandes angesprochen. Weiterhin teilen wir alle wesentlichen von Bach im Autograph getilgten und durch Änderungen verworfenen Lesarten in den *Bemerkungen* mit. Für bereitwillig zur Verfügung gestellte Quellen sei den genannten Bibliotheken gedankt.

München, Frühjahr 1997
Ernst-Günter Heinemann

Preface

Part 1 of Johann Sebastian Bach's *Well-Tempered Clavier* has survived in a complete autograph fair copy dating from the year 1722. The title translates roughly as follows: *The Well-Tempered Clavier, or preludes and fugues in every key, including those with the major third and those with the minor third, for the use and benefit of inquisitive young musicians and for the special diversion of those already well-versed in this study, set down and composed by Johann Sebastian Bach, chapel-master and director of chamber music to the Prince of Anhalt-Cöthen, in the year 1722.* This title, which, incidentally, only applies to Part 1, raises high claims for Bach's collection, which sets out to be both a manual of instruction and a challenge to accomplished performers.

Bach composed this work at a time when efforts were being made to devise the system of tempered tuning still used on keyboard instruments today. This system allows performers to play in every key, whereas instruments tuned in accordance with earlier systems permitted only a limited number of keys. It is thus fully understandable that Bach was interested in exploring the entire range of major and minor keys.

The high value Bach attached to Part 1 of his *Well-Tempered Clavier* is apparent in the painstaking care he spent on his exemplary autograph manuscript. Time and again he placed this manuscript at the disposal of his pupils so that they could make personal handwritten copies of it. Even during Bach's lifetime the work was highly regarded by connoisseurs. All the same, its highly retrospective nature (the fugue was already considered an outdated form) ran counter to the musical fashions of the day. This also explains why the collection did not appear in print until some fifty years after Bach's death, by which time, however, the work had already been disseminated in innumerable handwritten copies.

The primary source for every new edition of Part 1 of the *Well-Tempered Clavier* is Bach's autograph manuscript. For a long time the full significance of this manuscript remained shrouded in obscurity. By an ill stroke of fortune, three of the most important manuscript copies that deliberately sought to imitate the layout and handwriting of Bach's original were long thought to be autographs as well. This mistake had dire consequences: editors saw themselves confronted with a total of four allegedly autograph manuscripts that differed from each other in myriad details, and every deviation was thought to represent a legitimate alternative reading. Not until the days of modern Bach research, primarily that of Walther Dehnhard and Alfred Dürr, was this state of affairs revealed in its true light. The three putative autographs proved to be copyist's manuscripts based on the sole authentic original in Bach's own hand. The seemingly enigmatic discrepancies in the text were now easily accounted for.

Bach, as already mentioned, wrote out his work in fair copy in 1722. A number of handwritten copies were made from that manuscript, thereby preserving the text at the first stage of its evolution. In the years up to around 1732 Bach entered a number of initial changes in his autograph. In this revised state, the manuscript again served as a model for copies that preserve a second stage of the text. Probably some time after 1736 Bach once again subjected his manuscript to a revision which in turn left its mark on the copies made from it, thereby preserving a third stage of the text. Finally, in the 1740s, he entered a third and final series of emendations that represent the work in its final redaction, or stage 4. The alleged variants in the sources thus turn out to be readings rejected by Bach himself and rendered obsolete by his final definitive version.

There is thus only one uncontested principal source for our edition: Bach's autograph manuscript. Its present location is the Staatsbibliothek zu Berlin · Preußischer Kulturbesitz, Musikabteilung mit Mendelssohn-Archiv (Mus. ms. Bach P 415); it has also been published in facsimile. We have also consulted several of the pupils' copies, among them the three mistakenly thought to be autographs. These include the Christian Gottlob Meißner MS (Gemeente Museum, The Hague, 69 D 14) and a group of MSS likewise located at the Staatsbibliothek zu Berlin · Preußischer Kulturbesitz, Musikabteilung mit Mendelssohn-Archiv: the Anonymous 5 MS (Mus. ms. Bach P 401), the Anna Magdalena Bach and Johann Friedrich Agricola MS (Mus. ms. Bach P 202), the Johann Gottfried Walther MS (Mus. ms. Bach P 1074) and the Johann Christoph Altnickol MS (Mus. ms. Bach P 402). Of these, the Meißner and Walther MSS preserve the first stage of the text, while Anna Magdalena Bach and Altnickol present stages 2 and 3, respectively. Anonymous 5 derives from a version of the *Well-Tempered Clavier* that antedates stage 1 and was only brought up to the level of stage 1 through later insertions. (The manuscripts wrongly thought to be in Bach's hand were Meißner, Anna Magdalena and Anonymous 5.)

Many of the discrepancies in the copyist's MSS cannot be explained as outgrowths of stages one to four in the evolution of the autograph text. Either they are slips of the pen or willful alterations on the part of the copyist. However, these manuscripts help to explain a few passages where Bach's autograph is indistinct or even incomplete. For example, the autograph lacks a leaf containing the whole of Fugue XIII and the opening bars of Prelude XIV.

Editorial additions are enclosed in parentheses wherever they are meant to indicate that the relevant signs (e. g. slurs, articulation marks and, in a very few cases, accidentals) are lacking in the autograph. We also used parentheses to identify those cases where the missing signs are found in pupils' copies. This practice proved necessary since many of the additions to these MSS were surely not authorized by Bach, but merely represent improvements or changes introduced by the person making the copy.

A very small number of ornaments in small print were taken over from the above-named pupils' copies. Here, too, the reader is referred to the above caveats regarding the value of these sources. Occasionally the copyists substituted other signs for Bach's original ornaments. This practice illustrates the license allowed at that time in dealing with ornamentation marks. The same can be said of the style of embellishment, which varies from copy to copy. Ornaments taken from the autograph (in normal print) and from the copyist's manuscripts (in small print) should therefore be regarded merely as suggestions for the reader's own interpretation. In Bach's handwriting, the signs ***tr***, **~** and **~~** are equivalent and stand for the ordinary trill. A number of ornaments essential to Bach's music appear in the table that he added to the *Klavierbüchlein* for Wilhelm Friedemann Bach. We present this table on page VII.

Major textual problems are discussed in the *Comments* appearing at the end of this volume. The *Comments* also include all essential readings deleted by Bach in his autograph and overridden by his later changes. We wish to thank the mentioned libraries for graciously placing source materials at our disposal.

Munich, spring 1997
Ernst-Günter Heinemann

Préface

Le *Clavier bien tempéré*, premier livre, de J. S. Bach est conservé sous la forme de la mise au propre autographe de 1722. Le titre, qui ne se réfère d'ailleurs chez Bach qu'au seul premier livre, a le libellé suivant: *Le Clavier bien tempéré. ou Préludes et Fugues dans tous les tons et demi-tons, concernant tant la tierce majeure, ou Ut Ré Mi, que la tierce mineure, ou Ré Mi Fa. Pour le profit et l'usage des jeunes musiciens désireux de s'instruire, aussi bien que de ceux qui ont déjà acquis une habileté dans cette étude, composé et confectionné par Jean Sébastian Bach. p. t.: Maître de Chapelle du prince Léopold d'Anhalt Köthen et Directeur de sa Musique de chambre. Anno 1722.* Le Cantor formule ici la grande ambition de son recueil, à savoir d'être à la fois un ouvrage didactique et pédagogique, et un défi pour l'instrumentiste chevronné.

Bach a composé son œuvre à une époque où l'on cherchait encore à réaliser l'accord des instruments à clavier selon le système du tempérament égal, système, toujours utilisé aujourd'hui, permettant l'usage de tous les tons. Les instruments accordés sur la base de systèmes plus anciens n'autorisaient que l'emploi de tonalités données. On comprend donc l'intérêt de Bach concernant l'utilisation de l'intégral des tonalités, et majeures et mineures.

L'autographe définitif, que le compositeur mettait régulièrement à la disposition de ses élèves comme modèle de copie, témoigne encore d'un travail intensif de la part du compositeur et révèle par là même l'importance accordée par Bach à la première partie de son *Clavier bien tempéré.* Cette œuvre fut certes hautement appréciée de ses contemporains, mais elle apparut en même temps comme trop rétrospective, c'est-à-dire, la forme de la fugue étant considérée alors comme démodée, comme par trop opposée aux modes et courants musicaux de l'époque. Ceci explique pourquoi, alors que le recueil était déjà diffusé à travers de nombreuses copies, il a fallu encore quelque 50 ans après la mort du Cantor pour voir paraître la première édition.

L'importance décisive de l'autographe en tant que source primordiale des nouvelles éditions du *Clavier bien tempéré*, 1er livre est restée longtemps ignorée. À la suite d'une fâcheuse méprise, lourde de conséquences, on a longtemps tenu à tort pour des autographes trois des principales copies, soucieuses de fidélité à l'égard de l'original de Bach, tant en ce qui concerne la présentation et la disposition que du point de vue graphique. On s'est ainsi trouvé face à quatre soi-disant originaux au total, présentant entre eux nombre de divergences. Il allait de soi dans un tel contexte que les variantes présentées par ces «autographes» semblaient toutes égales en valeur. Il a fallu attendre les travaux de la recherche musicologique moderne, représenté en particulier par Walther Dehnhard et Alfred Dürr, pour mettre les choses au point. Trois des «autographes» ont été ainsi identifiés comme étant en réalité des copies issues du seul autographe authentique. Il était alors aisé d'expliquer la présence de ces variantes, assez incompréhensibles à première vue.

C'est en 1722 que le compositeur met au propre son texte. On possède des copies attestant de ce premier stade. Au cours des dix ans suivants, jusque vers 1732 donc, Bach inclut un certain nombre de premières corrections à son autographe. Le manuscrit ainsi révisé sert à son tour de modèle pour des copies, lesquelles révèlent donc ce deuxième stade d'élaboration. Bach procède ultérieurement, probablement après 1736, à une nouvelle révision, qui se répercute à son tour dans de nouvelles copies correspondant à ce troisième stade. Au cours des années 40 enfin, il apporte encore des corrections, les troisièmes et dernières, l'autographe présentant alors la rédaction finale de l'œuvre (stade 4). Les soi-disant variantes s'avèrent ainsi n'être en réalité que des notations finalement écartées par le compositeur et rendues caduques par sa dernière version autographe.

C'est donc cet autographe (Staatsbibliothek zu Berlin · Preußischer Kulturbesitz, Musikabteilung mit Mendelssohn-Archiv, Mus. ms. Bach P 415, publié aussi en facsimilé) qui constitue sans conteste la source principale de la présente édition. Les copies ci-dessous énumérées, dont les trois considérées longtemps à tort comme des autographes, ont également été consultées en complément: copie Christian Gottlob Meißner, Haags Gemeente Museum, La Haye, 69 D 14; copie Anonymus 5, Mus. ms. Bach P 401; copie Anna Magdalena Bach et Johann Friedrich Agricola, Mus. ms. Bach P 202; copie Johann Gottfried Walther, Mus. ms. Bach P 1074; copie Johann Christoph Altnickol, Mus. ms. Bach P 402 (les 4 dernières, exclusivement: Staatsbibliothek zu Berlin · Preußischer Kulturbesitz, Musikabteilung mit Mendelssohn-Archiv). Les copies Meißner et Walther représentent le stade 1, celle d'Anna Magdalena Bach le stade 2; Altnickol correspond au stade 3 et Anonymus 5 reprend une version du *Clavier bien tempéré* antérieur au stade 1, version qui avait été rendue conforme au stade 1 par corrections rajoutées après coup (Meißner, Anna Magdalena et Anonymus 5 ont été évalués par erreur en tant qu'autographes).

Les nombreuses divergences présentées par les copies – pour autant qu'elles ne résultent pas de stades 1 à 4 du texte – proviennent d'erreurs de copie ou sont le résultat de modifications apportées par les copistes de leur propre chef. Ces copies constituent cependant une aide non négligeable là où l'autographe est ponctuellement illisible ou même s'avère incomplet. C'est ainsi qu'il manque dans l'autographe une page comportant le texte de la fugue 13 ainsi que les premières mesures du prélude 14.

Les rajouts de l'éditeur sont placés entre parenthèses lorsqu'il s'agit de signaler que les signes correspondants (p.ex. liaisons, signes d'articulation, accidents dans un tout petit nombre de cas) font défaut dans l'autographe. Il a été également recouru à cette même spécification quand des signes ou indications absents de l'autographe sont présents dans une copie. Une telle caractérisation apparaît justifiée dans la mesure où les rajouts des copies sont sans doute très souvent des rajouts non autorisés par Bach mais des améliorations ou modifications effectuées arbitrairement par les copistes.

Un certain nombre d'ornements, imprimés en petits caractères dans cette édition, ont été repris çà et là du texte des copies. Ce qui a été précédemment dit concernant les précautions à prendre quant à l'évaluation des sources secondaires est également valable ici. Les copistes remplacent parfois les ornements originaux du compositeur par d'autres notations. Une telle pratique de même que la variabilité de notation des agréments entre les différentes copies font apparaître la grande liberté qui régnait à l'époque dans l'usage des signes d'ornementation. C'est pourquoi lesdits agréments, aussi bien ceux de l'autographe (caractères normaux) que ceux provenant des copies (petits caractères), ne peuvent tenir lieu que de propositions d'exécution laissées à la libre initiative de l'interprète. Les signes ***tr***, 𝆖 et 𝆗 sont utilisés indifféremment par Bach pour le trille (tremblement) normal. La table d'agréments, notée par Bach lui-même dans le *Klavierbüchlein* écrit à l'intention de Wilhelm Friedemann Bach, fournit des indications précieuses sur les principaux ornements utilisés par le compositeur (voir ci-dessous).

Les problèmes de texte importants sont explicités dans les *Remarques* publiées à la fin du volume. Nous signalons également toutes les variantes importantes supprimées ou écartées par correction par Bach dans l'autographe. Nous adressons tous nos remerciements aux bibliothèques citées pour les sources aimablement mises à notre disposition.

Munich, printemps 1997
Ernst-Günter Heinemann

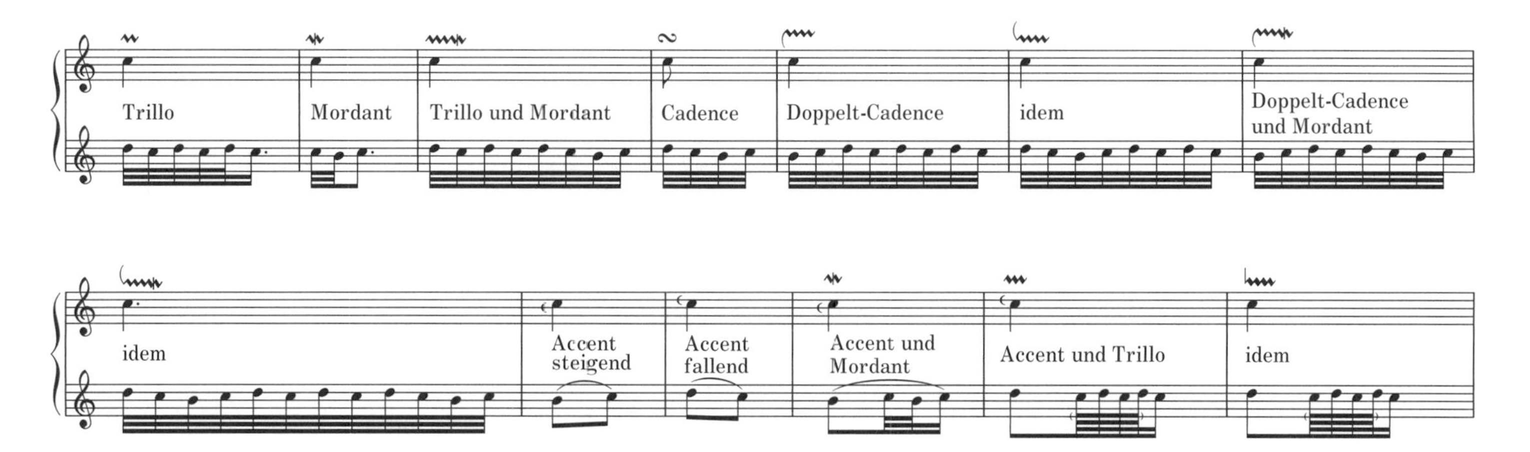

Zur Ausführung

Zu Recht bezeichnete Hans von Bülow das *Wohltemperierte Klavier* Bachs als das „Alte Testament der Musik", während Beethovens 32 Klaviersonaten das „Neue Testament" darstellen. In der Religion – wie in der Musik – unterliegen Testamente der Interpretation, die zu endlosen Debatten und Diskussionen führen. In jeder Epoche werden Wissenschaftler den identischen Text je unterschiedlich auslegen. Undenkbar ist also die eine gültige Lösung, die jedermann gefällt oder überzeugt. Während ich die Fingersätze für die vorliegende Ausgabe ausarbeitete, war ich mir der schieren Unmöglichkeit meiner Aufgabe beständig bewusst, weshalb ich auch dem Angebot des G. Henle Verlags zunächst zurückhaltend gegenüber stand. Fingersätze sind praktische Vorschläge für den Ausführenden. Von jemandem, der – hoffentlich – beträchtliche Erfahrung mit dem fraglichen Werk hat: Wer zu einer tückischen Expedition auf ein Bergmassiv aufbricht, der tut gut daran, sich der Begleitung eines erfahrenen Bergführers zu versichern.

Die „48er" sind ein schwer zu erfassendes, mysteriöses „Bergmassiv". Für welches Instrument hat Bach sie geschrieben? Wir wissen es nicht. Sein Begriff „Clavier" zielt lediglich auf das Tasteninstrument im Allgemeinen; demnach sind einige Stücke vielleicht für das Cembalo, andere für die Orgel, wieder andere für das Clavichord gedacht. Kann man sie auf dem modernen Klavier spielen? Aber ja, man kann und sollte es auch, allerdings keinesfalls ausschließlich. Alle Tasteninstrumente Bachs unterscheiden sich in mehreren Aspekten vom modernen Klavier; einer davon ist das Fehlen eines Haltepedals. Dieses prächtige Hilfsmittel ist uns von unschätzbarem Nutzen für Beethovens und spätere Musik, aber sicherlich nicht für die Musik Bachs. Man kann das gesamte *Wohltemperierte Klavier* wunderbar spielen, ohne ein einziges Mal das Pedal zu treten (ausgenommen den Schluss der a-moll-Fuge in Band I, denn bei diesem Stück handelt es sich wahrscheinlich um eine Orgelkomposition, weshalb man die letzten Takte mit zwei Händen allein nicht ausführen kann). Deshalb wollen meine hier abgedruckten Fingersätze ohne den Einsatz des rechten Pedals verstanden und genutzt sein. Ist die Verwendung des Pedals verboten? Sicherlich nicht. Aber das Pedal sollte erst dann (äußerst sparsam) eingesetzt werden, wenn der Pianist das Stück auch ohne dessen Hilfe bewältigt hat. Es kann Farbe in den Klang bringen, es kann aber auch die kontrapunktischen Linien verwischen.

Fingersätze und Artikulation hängen stets voneinander ab, und meine Fingersätze „funktionieren" nur in Verbindung mit einer bestimmten, beabsichtigten Artikulation. Die Henle-Ausgabe druckt völlig zu Recht den „Urtext" ab, genau so, wie ihn der Komponist niederlegte. Es bleibt also dem Spieler überlassen, Phrasierung und Artikulation festzulegen, denn Bachs Partituren enthalten höchst selten Bogensetzungen. Die meisten Pianisten des 19. Jahrhunderts bevorzugten ein Bach-Spiel, das „sempre legato" und „cantabile" war. Als Reaktion darauf – oder in Rebellion dagegen – bescherte uns das 20. Jahrhundert die „Neue Sachlichkeit" mit Pianisten, die nun durchweg das Gegenteil praktizierten, also ein gestoßenes „sempre staccato". Beide Zugänge sind falsch, denn sie sind einseitig. Wir können allen zeitgenössischen Lehrwerken entnehmen, dass die Musik des 18. Jahrhunderts nach abwechslungsreicher Artikulation verlangt. Demnach könnten – nur als Beispiel – vier unbezeichnete Sechzehntelnoten wie folgt ausgeführt werden:

Bach hat diese Ausführungsdetails nicht in seine Partituren hineingeschrieben – er und seine Zeitgenossen benötigten sie nicht –, aber er erwartete hierin zweifellos Abwechslung. Genauso spärlich sind Bachs Angaben zu Tempo und Lautstärke: Ein paar wenige Tempoangaben finden sich in Band I (im c-moll-, e-moll- und h-moll-Präludium und in der h-moll-Fuge) und eine einzige in Band II (im h-moll-Präludium). Die *forte*- oder *piano*-Angaben (Band II, gis-moll-Präludium) legen Manualwechsel auf dem Cembalo nahe. Eine der Freuden des Bach-Spielens ist, dass er uns die Freiheit zur eigenen Entscheidung überlässt: Herausforderung und große Unabhängigkeit gleichermaßen. Verzierungen sind lebensnotwendige Bestandteile der „48er". Einige davon sind notiert, andere nicht. Bach überlieferte uns in seinem „Notenbüchlein für Wilhelm Friedemann Bach" die korrekte Ausführung seiner Verzierungszeichen (siehe die Tabelle auf S. VII). Und dennoch: Bis heute wird endlos zum Beispiel über die Frage debattiert, ob man nun einen Triller mit der Hauptnote oder mit der oberen Nebennote beginnt. Ich darf an die Worte Carl Philipp Emanuel Bachs erinnern: Verzierungen dienen dazu, die Musik gefälliger zu machen. Nicht, um sie zuzuschütten. Der gute Geschmack entscheidet über deren richtige Anwendung. Außer der Orgel kann kein Tasteninstrument lange Noten auch lang klingen lassen. Im Moment des Anschlags beginnt der Ton beständig leiser zu werden. Deshalb scheint es mir völlig legitim, lange, über mehrere Takte gehaltene Noten nochmals anzuschlagen, um ihr völliges Verklingen zu vermeiden. Wann und an welcher Stelle wir dies tun sollten, ist eine weitere unserer Wahlmöglichkeiten. Auf dem Klavier – nicht auf dem Clavichord – kann die Ausführung von Akkorden problematisch werden, denn diese tendieren häufig dazu, zu stark und perkussiv zu klingen. Das kann man vermeiden, indem man Akkorde mit einem Arpeggio bricht. Arpeggi können sehr erfindungsreich eingesetzt werden, wie zum Beispiel in der *Chromatischen Fantasie* oder zum Schluss des d-moll-Präludiums aus Band I.

Das *Wohltemperierte Klavier* stellt eine unvergleichliche Sammlung dar, deren Stücke nahezu alle unterschiedlichen Charaktere und Gattungen der Bach'schen Musik beinhalten. Bestimmte Präludien und Fugen könnten Bestandteil seiner Kirchenmusik sein, während wiederum andere an Tänze wie Allemanden, Couranten und Giguen erinnern. Für den Spieler ist es von größter Bedeutung, dass er mit all diesen Formen vertraut ist und sie entsprechend versteht. Jeder, der ernsthaft an diesem Werk interessiert ist, wird verschiedene moderne Notenausgaben studieren wollen. Von beiden Bänden des *Wohltemperierten Klaviers* sind außerdem Faksimile-Ausgaben der Handschrift Bachs erhältlich, genauso wie zahllose Ausgaben unterschiedlichster Qualität. Wir haben die Wahl. Wie schon Robert Schumann sagte: „Das *Wohltemperierte Klavier* sei Dein täglich Brot".

Florenz, Frühjahr 2007
András Schiff

Notes on the execution

Hans von Bülow has rightly called Bach's *Well-Tempered Clavier* the Old Testament of music – with Beethoven's thirty-two piano sonatas representing the New Testament. In religion – as in music – testaments are subject to interpretations that lead to endless debate and discussion. In every era, each scholar may interpret the same text differently. Finding a single solution that will please or convince everyone is unimaginable. When working on the fingerings for the present edition I was constantly aware of the sheer impossibility of my task, hence my initial reluctance to accept the invitation of G. Henle Verlag. Fingerings are practical suggestions to the player by someone who – hopefully – has had considerable experience with the works in question: when embarking on a treacherous mountain expedition it is advisable to have a good guide.

The "48" are very elusive, mysterious "mountains." What instrument did Bach have in mind when he wrote them? We do not know. The word "Clavier" suggests only keyboard, with some pieces intended for the harpsichord, others for the organ or the clavichord. Can they be played on the modern piano? Yes, they can and they should be, although by no means exclusively. Bach's keyboard instruments all differ from the piano in more than one way, one difference being that they do not have a sustaining pedal. This magnificent device serves us invaluably in Beethoven's music and afterwards, but certainly not in Bach. The entire WTC can be played perfectly well without touching the pedal (with the exception of the end of the a-minor fugue in Book I. This cannot be executed with two hands alone, because it is probably an organ piece). Thus the present fingerings are meant to be for the hands alone, not for the feet. Is the use of the sustaining pedal forbidden? Of course not. But it must be used sparingly, after the pianist has mastered the piece without its help. It can add colour to the sonority but it can also blur contrapuntal textures.

Fingerings always depend on articulation, and mine only work with a particular articulation in mind. The Henle edition – rightly – prints the "Urtext," just as the composer wrote it. Bach almost never wrote marks of phrasing and articulation in his scores, so it is up to the player to provide them. Most pianists of the nineteenth century tradition liked to play Bach "sempre legato", emphasizing the vocal line. As a reaction – or revolt – against this the twentieth century gave us "Neue Sachlichkeit" (new objectivity), with pianists who went to the other extreme and played "sempre staccato", in a detached manner. Both approaches are wrong because they are one-sided. All contemporary treatises teach us that eighteenth-century music requires varied articulation. Thus – for example – four semiquavers without marks can be executed as follows:

Bach may not have marked these details in his scores – he and his contemporaries didn't need them – but he certainly expected variety. His instructions concerning tempi and dynamics are equally rare: a few tempo markings in Book I (the c-minor prelude, e-minor prelude, b-minor prelude and fugue), and a single one in Book II (the b-minor prelude). The *forte* and *piano* indications (Book II, g♯-minor prelude) suggest a change of manuals on the harpsichord. One of the beauties of playing Bach is that he gives us the freedom to make choices. This is a challenge but also a great liberty. Ornaments are vital elements of the "48." Some are notated, others are not. In his "Notenbüchlein für Wilhelm Friedemann Bach" he has given us the correct execution of his embellishments (cf. the table on page VII). Still, even today there are endless arguments about such questions as whether a trill ought to start on the main note or on the upper auxiliary. Let's remember Carl Philipp Emanuel Bach's words: ornaments are there to make music more agreeable, not more crowded. Their application is a matter of good taste. Keyboard instruments – with the exception of the organ – cannot sustain long notes. Once a note has been played, it starts to diminish. Therefore it is absolutely legitimate to repeat notes that are slurred over several bars, if this prevents their disappearance. When and where to do this is another of our choices. Chords on the piano – not on the clavichord – can be problematic, for they often tend to sound heavy and percussive. To avoid this, it helps to break them by playing them *arpeggiando*. Arpeggi can be used very creatively, as in the Chromatic Fantasy, or the end of the d-minor prelude in Book I.

The *Well-Tempered Clavier* is an incomparable collection of pieces representing nearly all the different characters and genres in Bach's music. Certain preludes and fugues could be parts of sacred works, while others are reminiscent of dances such as allemandes, courantes, and gigues. It is most important that the player should be familiar with these forms, and recognize them. Everyone seriously interested in this work will wish to study it in different modern editions. Facsimile reproductions of the manuscripts of both books are available, as are countless editions of varying quality. The choice is ours. As Robert Schumann has said: "The *Well-Tempered Clavier* should be Thy daily bread."

Florence, spring 2007
András Schiff

Observations pratiques

Hans von Bülow avait qualifié, à juste titre, le *Clavier bien tempéré* de Bach d'Ancien Testament de la musique, par opposition à un Nouveau Testament incarné par les 32 Sonates pour piano de Beethoven. En matière de religion – comme en matière de musique –, les testaments sont sujet à interprétations et sources d'infinis débats et discussions. À chaque époque, les chercheurs livreront, d'un même texte, d'autres interprétations. Il est donc impensable de trouver une seule solution susceptible de convaincre tout le monde. Alors que je travaillais aux doigtés pour la présente édition, j'ai été à chaque instant conscient de l'impossibilité, pure et simple, de mon travail. C'est pourquoi je n'ai tout d'abord accueilli qu'avec réticence l'offre de la Maison Henle. Les doigtés sont des suggestions pratiques proposées à l'exécutant par quelqu'un qui – il faut l'espérer – possède une bonne expérience de l'œuvre en question: quiconque entreprend une aventureuse expédition en montagne fait bien de s'assurer la compagnie d'un guide expérimenté.

Les «48» sont un fuyant et mystérieux «massif montagneux». Pour quel instrument Bach l'a-t-il écrit? Nous l'ignorons. Le terme «Clavier» renvoie d'une manière générale à un instrument à clavier; ainsi certaines pièces auront peut-être été composées pour le clavecin, d'autres pour l'orgue, et d'autres encore pour le clavicorde. Peut-on les jouer sur un piano moderne? Oui, on le peut et on le devrait, mais non point cependant de manière exclusive. Tous les instruments à clavier de Bach se distinguent à bien des égards d'un piano moderne; l'un d'entre eux est l'absence de la pédale de tenue. Ce superbe et utile accessoire est d'un bénéfice incomparable pour la musique de Beethoven et celle qui suit, mais certainement pas pour celle de Bach. On peut exécuter magnifiquement l'ensemble du *Clavier bien tempéré* sans utiliser une seule fois la pédale (à l'exception de la fin de la fugue en la mineur du Premier livre, car cette pièce a très vraisemblablement été composée pour l'orgue, et c'est pourquoi les deux mains ne suffisent pas à exécuter les dernières mesures. Les doigtés que l'on trouvera ici sont destinés à servir l'exécution de ce passage sans faire appel à la pédale droite. Mais la pédale devra seulement être utilisée (et avec la plus grande parcimonie) lorsque le pianiste sera parvenu à maîtriser ces pièces sans cette aide. Elle peut enrichir la couleur du son, mais elle peut également gommer les lignes du contrepoint.

Les doigtés dépendent toujours du phrasé, et les miens ne «fonctionnent» que si l'on a à l'esprit un phrasé bien précis. L'édition Henle reproduit très légitimement l'*Urtext*, tel qu'il a été mis par écrit par le compositeur. Bach a rarement noté des indications de phrasé ou d'articulation; il revient par conséquent à l'exécutant de les imaginer. La plupart des pianistes du XIXe siècle préconisaient un jeu «sempre legato» mettant par ailleurs en évidence la teneur *cantabile*. En réaction – ou plutôt en rébellion – contre ce type d'interprétation, le XXe siècle imposa une «objectivité retrouvée» avec des pianistes jouant, au contraire, résolument «sempre staccato». Les deux approches sont fausses, car unilatérales. Toutes les méthodes publiées à l'époque nous enseignent que la musique du XVIIIe siècle exige une articulation diversifiée. Ainsi – à titre d'exemple – quatre doubles croches, sans autre indication, peuvent être exécutées ainsi:

Bach n'a pas consigné de tels détails d'exécution dans ses partitions – lui-même et ses contemporains n'en avaient nul besoin –, mais il est sûr que la diversité allait de soi. De même, Bach n'a laissé que de rares indications de tempo et d'intensité: on trouve ici et là quelques indications de tempo dans le Premier livre (dans les préludes en ut mineur, mi mineur et dans le prélude et la fugue en si mineur) et une seule dans le Second livre (dans le prélude en si mineur). Les indications *forte* ou *piano* (Second livre, prélude en sol♯ mineur) suggèrent des changements de clavier pour une exécution sur clavecin. L'un des charmes de la musique de Bach est qu'elle nous laisse la liberté de faire des choix: il y a là à la fois un défit et une liberté extrême. Les ornements sont un élément vital des «48». Certaines sont notées, d'autres non. Dans son *Notenbüchlein für Wilhelm Friedemann Bach*, Bach a consigné l'exécution correcte de ses ornements (voir tableau p. VII). Et pourtant, aujourd'hui encore, on discute à l'infini de savoir si le trille doit commencer par la note principale ou par la note voisine supérieure. Je voudrais rappeler les propos de Carl Philipp Emanuel Bach: les ornements servent à rendre la musique plus agréable, et non pas à la surcharger. Le bon goût décide de leur juste usage. A l'exception de l'orgue, aucun instrument à clavier ne peut tenir les notes longues. Une fois la note attaquée, le son ne cesse de faiblir. C'est pourquoi il me semble tout à fait légitime de rejouer les notes tenues sur plusieurs mesures afin d'éviter qu'elles ne s'éteignent. Il nous appartient de décider quand et comment il convient de le faire. Sur le piano – et non sur le clavicorde – la réalisation d'accords peut devenir problématique, car ils ont tendance à sonner trop fort et de manière trop percussive. Cela peut être évité en arpégeant ces accords. Les arpèges peuvent être introduits de manière très inventive, comme dans la Fantaisie chromatique et à la fin du prélude en ré mineur du Premier livre.

Le *Clavier bien tempéré* forme une collection de pièces unique en son genre dont presque chacune illustre un caractère et un genre musical différent. Certains préludes et fugues pourraient être des sections d'œuvres sacrées, tandis que d'autres évoquent des types de danses, allemandes, courantes ou gigues. Il est extrêmement important que l'exécutant se familiarise avec ces formes et sache les reconnaître. Celui qui s'intéresse sérieusement à cette œuvre sera sans doute enclin à comparer plusieurs éditions modernes. Il existe des éditions fac-similées du manuscrit autographe des deux volumes du *Clavier bien tempéré* ainsi que d'innombrables éditions de diverses qualités. Nous n'avons que le choix. Comme le disait déjà Robert Schumann: «Que le *Clavier bien tempéré* soit ton pain quotidien».

Florence, printemps 2007
András Schiff

Urtextausgabe Broschur / Paperbound Urtext edition: HN 14
Urtextausgabe Leinen / Clothbound Urtext edition: HN 15
Ausgabe ohne Fingersatz / Edition without fingering: HN 1014
Studien-Edition zu HN 14 / Study score for HN 14: HN 9014
Printed in Germany

Das wohltemperirte Clavier

oder Praeludia und Fugen durch alle Tone und Semitonia

PRAELUDIUM I

BWV 846

*) Siehe *Bemerkungen*. *) See *Comments*. *) Cf. *Remarques*.

FUGA I

A 4 VOCI

BWV 846

*) Siehe *Bemerkungen*. *) See *Comments*. *) Cf. *Remarques*.

PRAELUDIUM II

BWV 847

19
22
25
28
Presto
31
34
Adagio
Allegro
36

FUGA II

A 3 VOCI

BWV 847

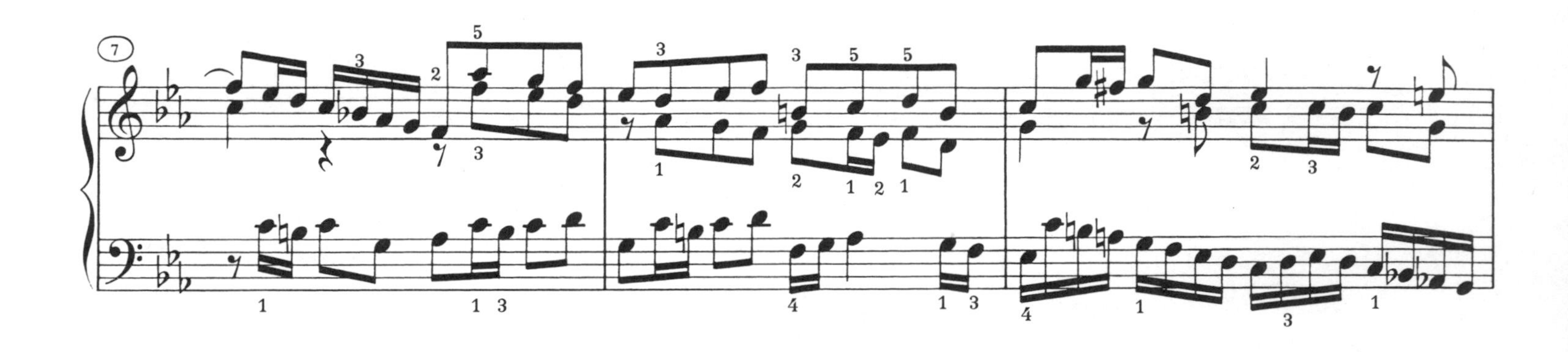

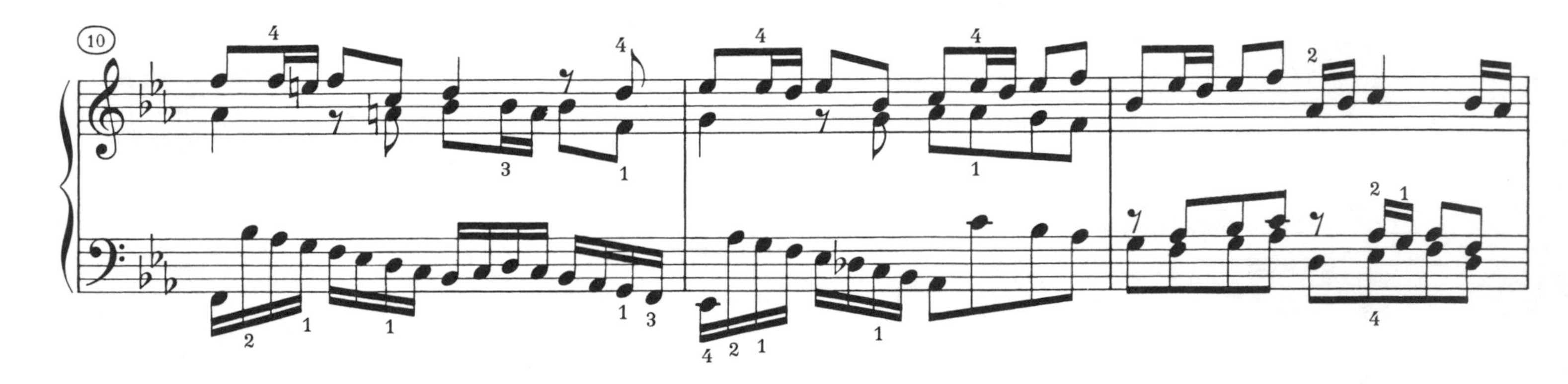

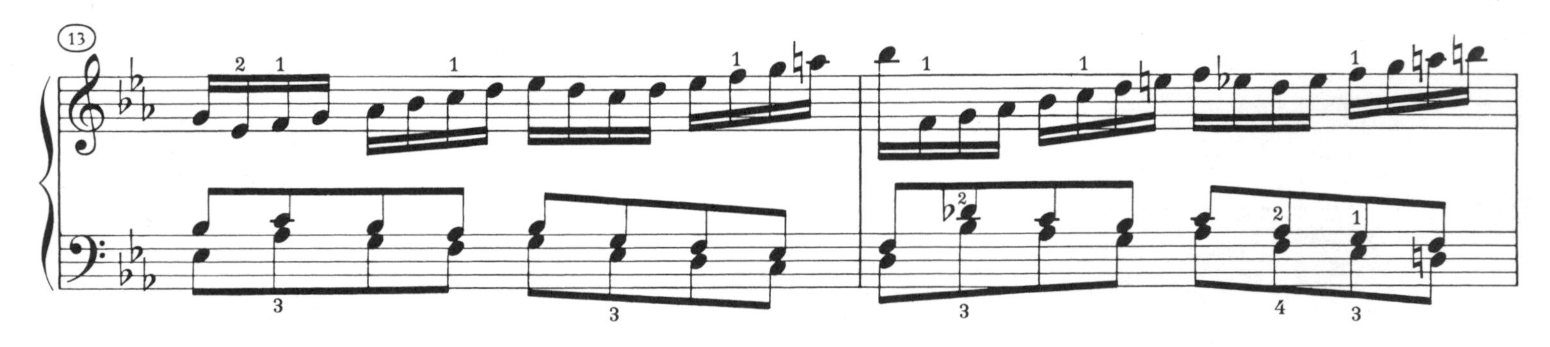

PRAELUDIUM III

BWV 848

FUGA III

A 3 VOCI

BWV 848

*) *fis*[1] gemäß Autograph. In manchen Abschriften *fisis*[1]. Vgl. T. 5.
f♯[1] as given in autograph. Some copies have *f*x[1]. See m. 5.
fa♯[1] selon l'autographe. Dans quelques copies *fa*x[1]. Cf. mes. 5.

PRAELUDIUM IV

BWV 849

FUGA IV

A 5 VOCI

BWV 849

PRAELUDIUM V

BWV 850

FUGA V

A 4 VOCI

BWV 850

*) Der Punkt hat hier nur die Bedeutung einer Zweiunddreißigstel-Note:
The dot here is only equivalent to a 32nd note:
Le point a, ici, seulement la valeur d'une triple croche:

PRAELUDIUM VI

BWV 851

*) Ausführung des Arpeggios siehe *Bemerkungen*. *) Execution of the arpeggio see *Comments*. *) Pour l'exécution des notes arpégées cf. *Remarques*.

FUGA VI

A 3 VOCI

BWV 851

PRAELUDIUM VII

BWV 852

FUGA VII

A 3 VOCI

BWV 852

PRAELUDIUM VIII

BWV 853

21
25
28
32
35
38

FUGA VIII

A 3 VOCI

BWV 853

*) Siehe *Bemerkungen*. *) See *Comments*. *) Cf. *Remarques*.

66
69
72
76
80
84

PRAELUDIUM IX

BWV 854

FUGA IX

A 3 VOCI

BWV 854

PRAELUDIUM X

BWV 855

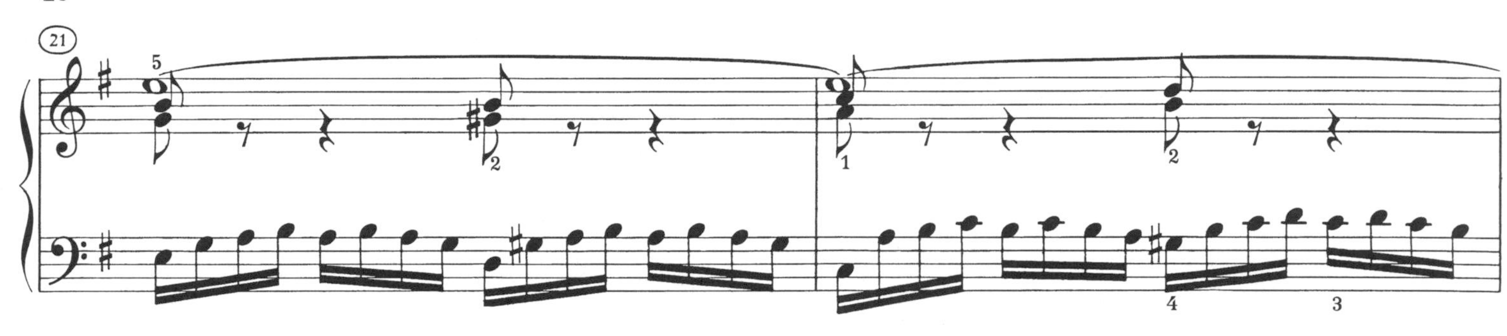

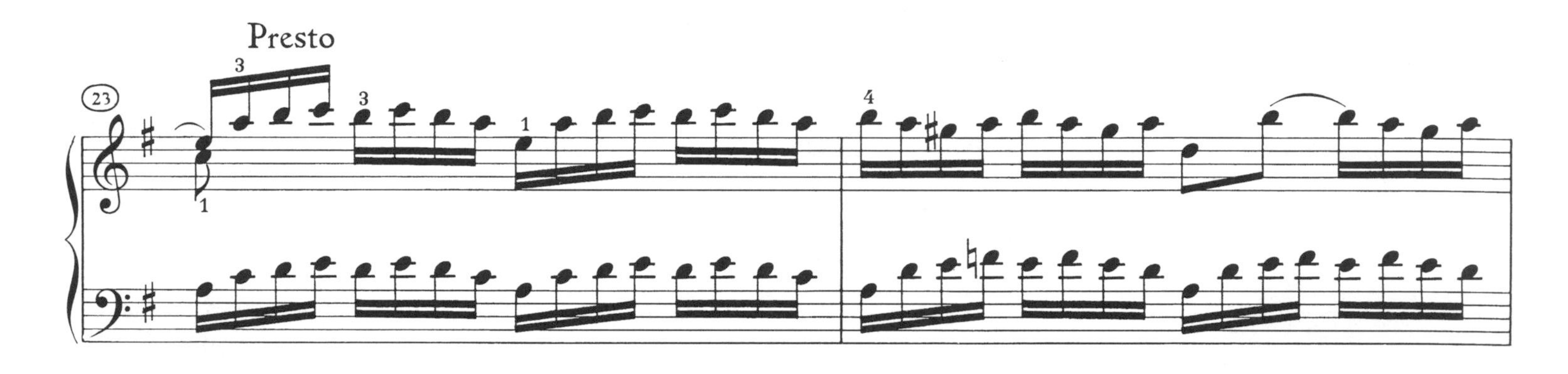
Presto

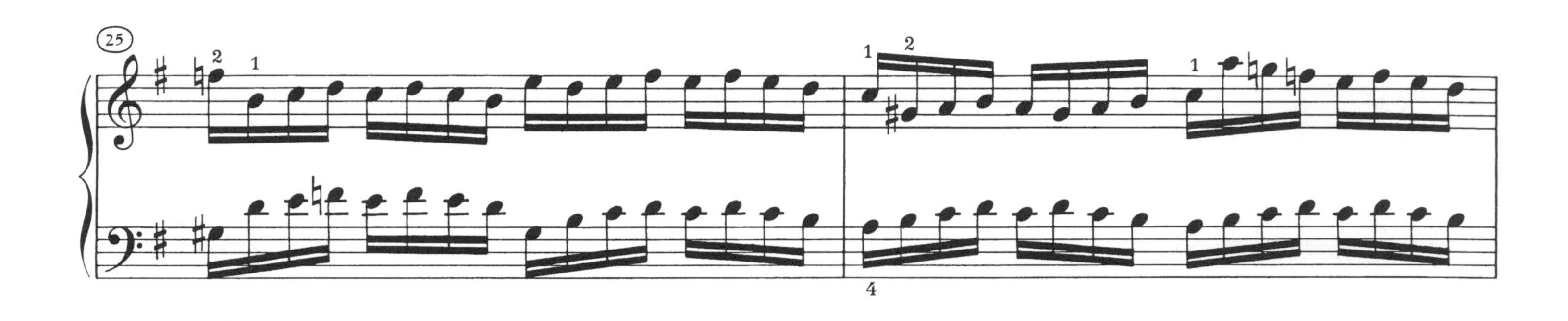

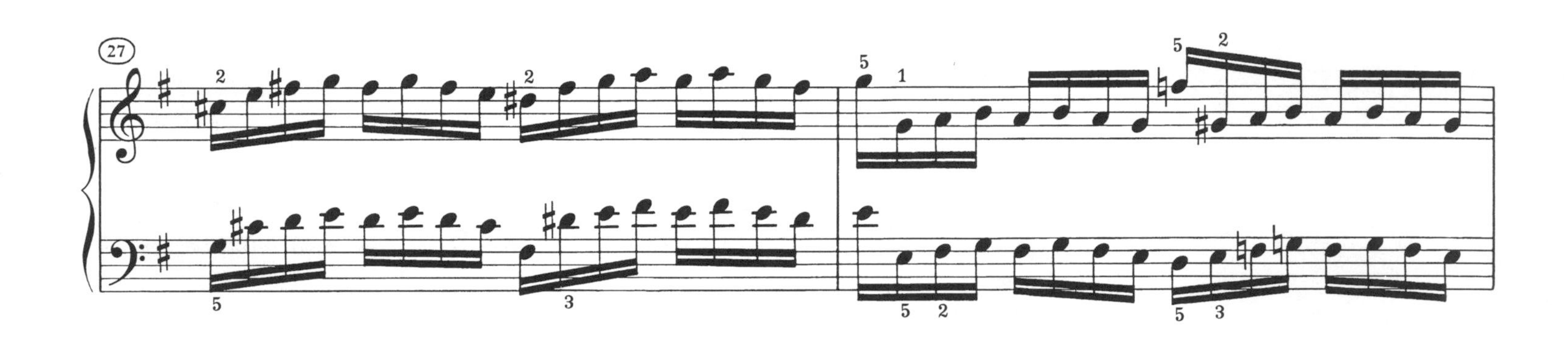

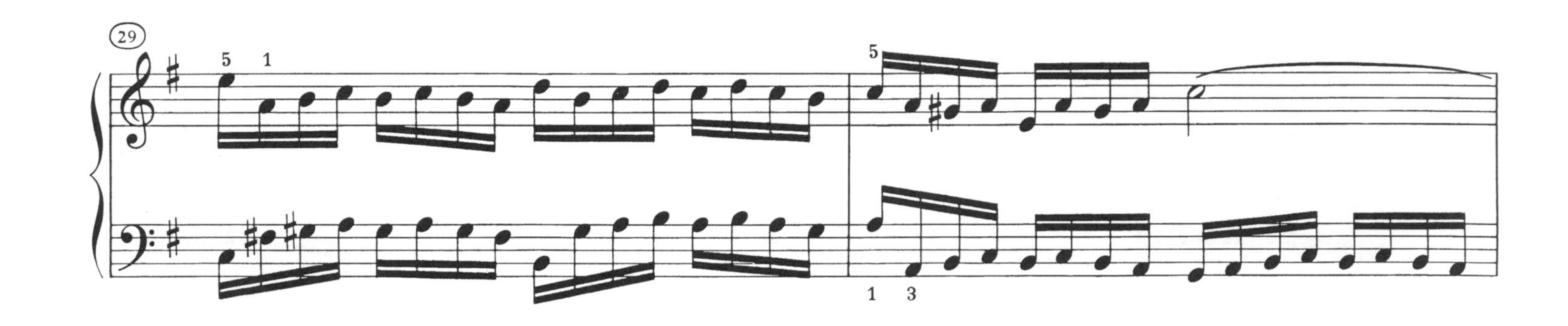

FUGA X

A 2 VOCI

BWV 855

PRAELUDIUM XI

BWV 856

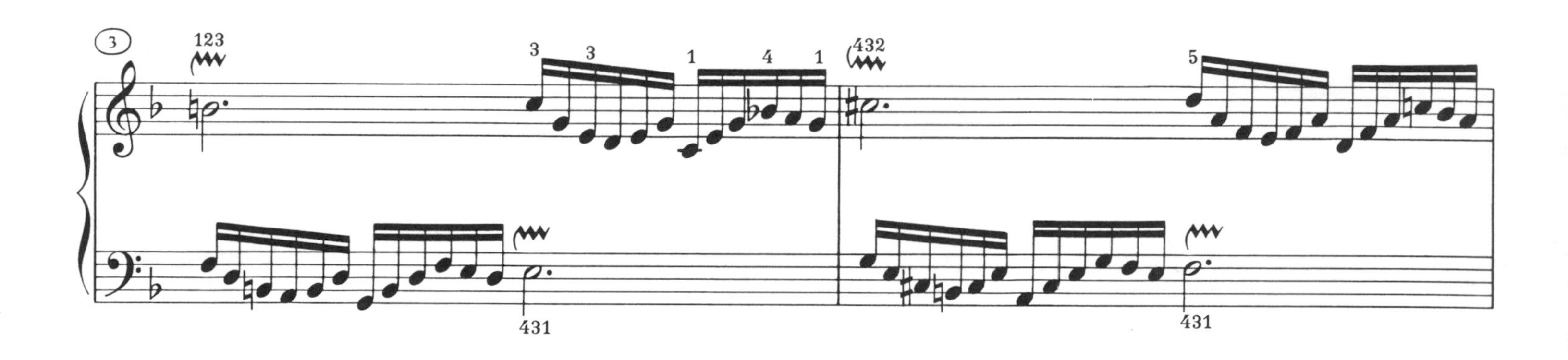

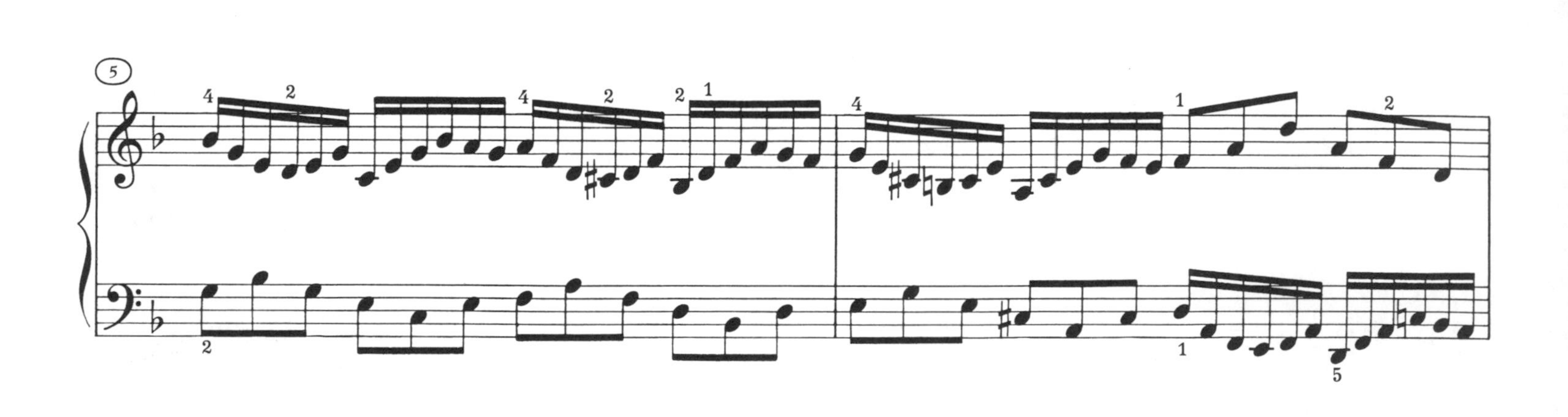

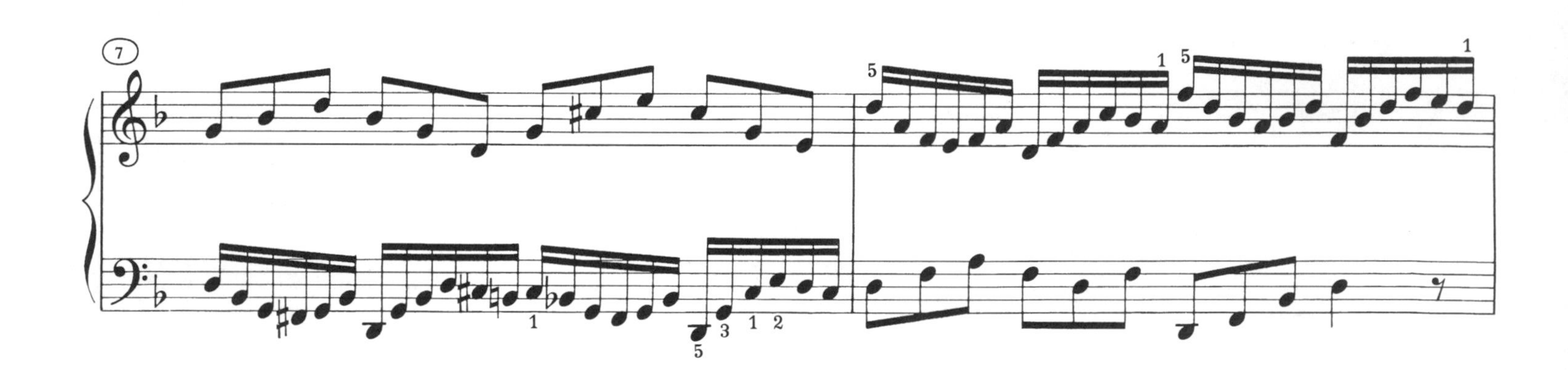

FUGA XI

A 3 VOCI

BWV 856

PRAELUDIUM XII

BWV 857

FUGA XII

A 4 VOCI

BWV 857

PRAELUDIUM XIII

BWV 858

FUGA XIII

A 3 VOCI

BWV 858

PRAELUDIUM XIV

BWV 859

FUGA XIV

A 4 VOCI

BWV 859

PRAELUDIUM XV

BWV 860

FUGA XV

A 3 VOCI

BWV 860

PRAELUDIUM XVI

BWV 861

FUGA XVI

A 4 VOCI

BWV 861

PRAELUDIUM XVII

BWV 862

FUGA XVII

A 4 VOCI

BWV 862

PRAELUDIUM XVIII

BWV 863

FUGA XVIII

A 4 VOCI

BWV 863

*) *his* oder *h*? Siehe *Bemerkungen*. *) *b♯* or *b*? See *Comments*. *) *si♯* ou *si*? Cf. *Remarques*.

PRAELUDIUM XIX

BWV 864

FUGA XIX

A 3 VOCI

BWV 864

PRAELUDIUM XX

BWV 865

FUGA XX

A 4 VOCI

BWV 865

*) Der Bass kann auf dem Klavier nicht wie notiert ausgehalten werden; siehe S. VIII.

*) On the piano, the bass cannot be sustained as notated; see p. IX.

*) Au piano, la basse ne peut être tenue telle qu'elle est notée; cf. p. X.

PRAELUDIUM XXI

BWV 866

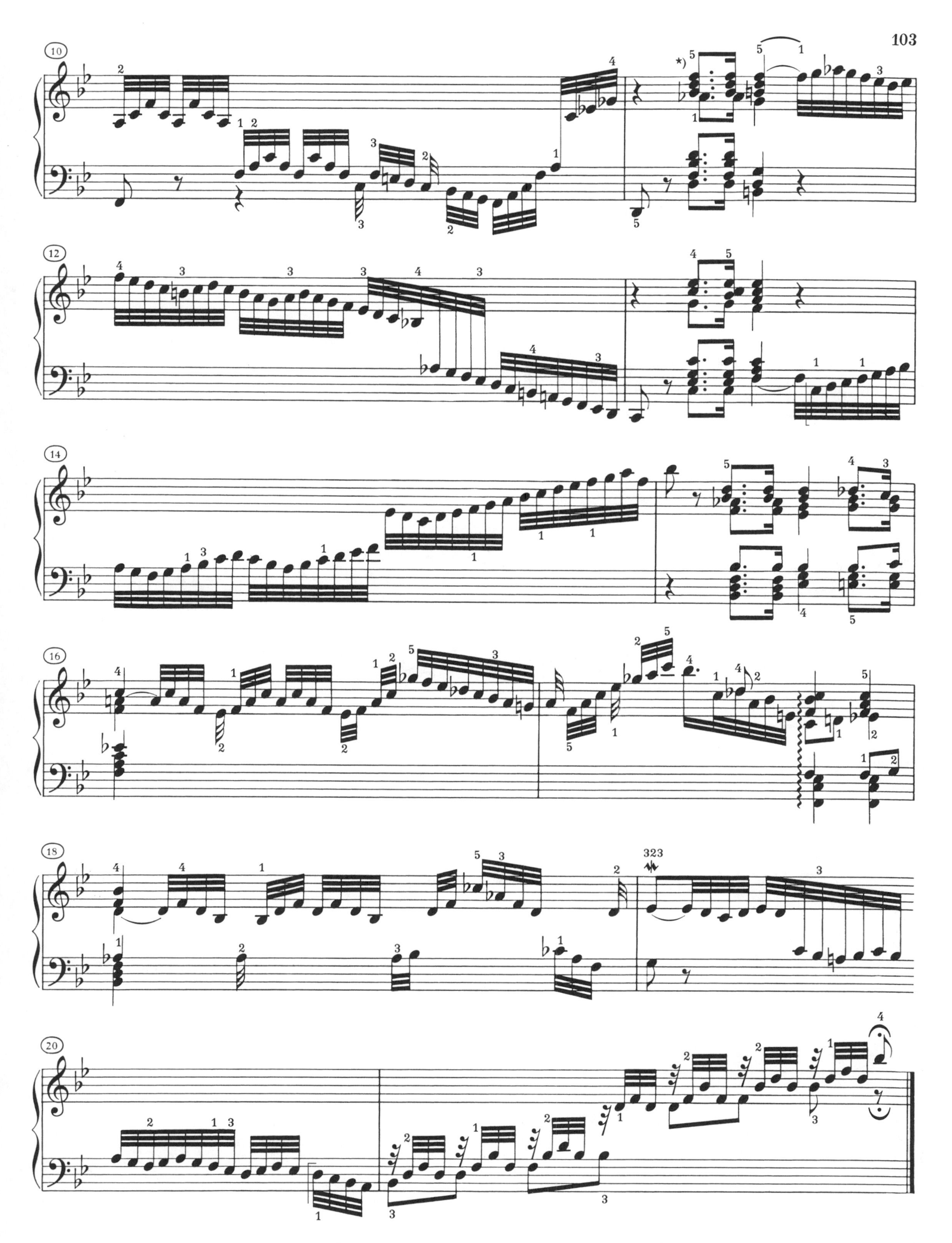

*) In der Abschrift P 401 steht hier *adagio*.

*) In the manuscript P 401 this is marked *adagio*.

*) Dans le manuscrit P 401 se trouve ici *adagio*.

FUGA XXI

A 3 VOCI

BWV 866

PRAELUDIUM XXII

BWV 867

FUGA XXII

A 5 VOCI

BWV 867

PRAELUDIUM XXIII

BWV 868

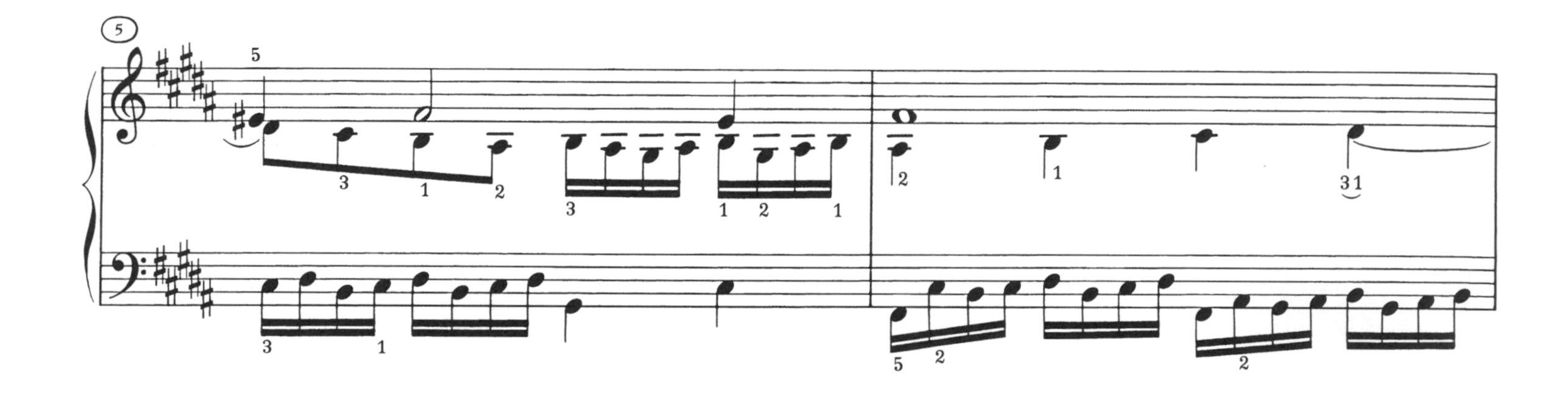

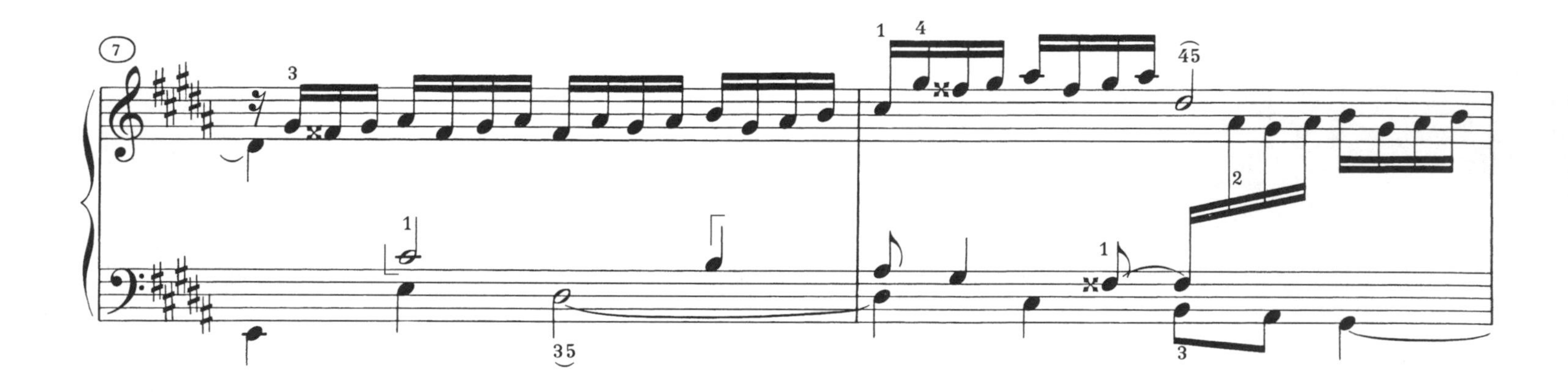

*) Lesart P 202:
Reading P 202:
Notation P 202:

FUGA XXIII

A 4 VOCI

BWV 868

PRAELUDIUM XXIV

BWV 869

FUGA XXIV

A 4 VOCI

BWV 869

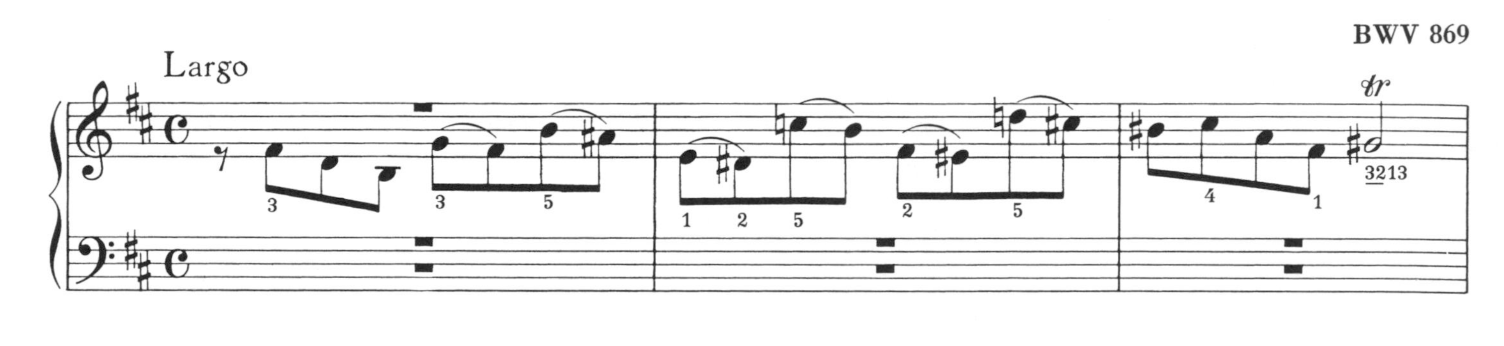

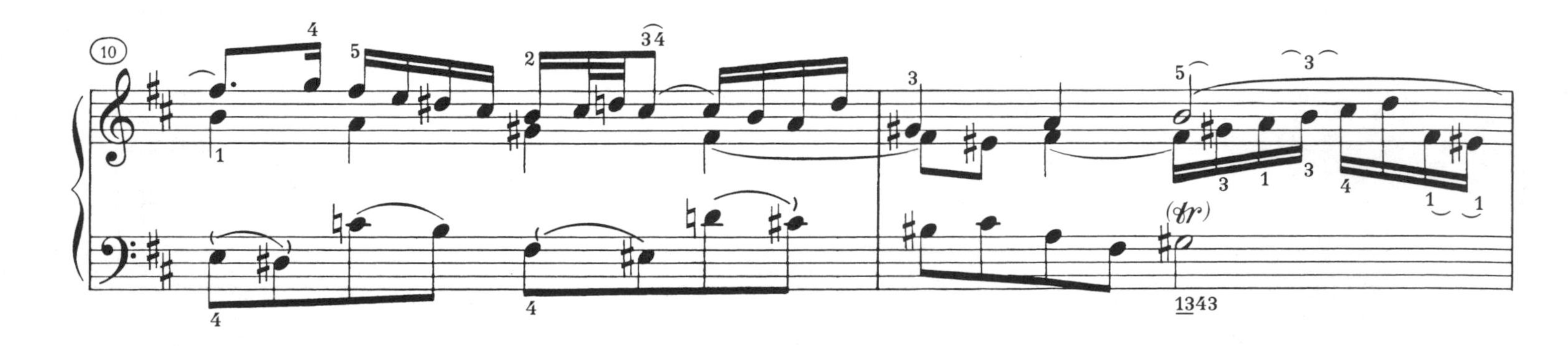

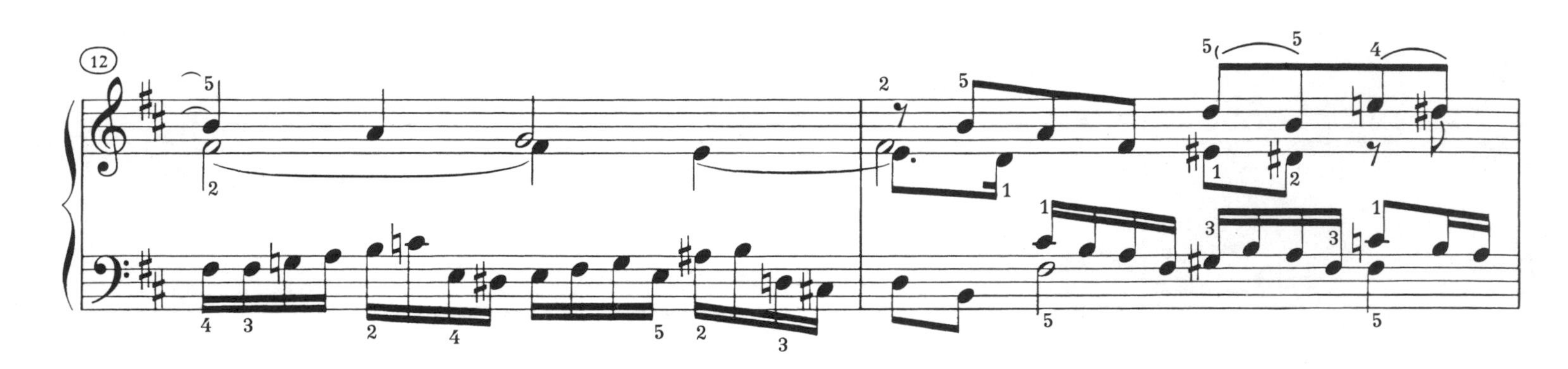

26
28
31
33
35
37

Fine
S.D.G.

Bemerkungen

o = Klavier, oberes System; u = Klavier, unteres System; T = Takt(e); A = Autograph; AB = Abschrift

Praeludium I C-dur

Zur Edition:

1783 fügte der Kopist Schwencke nach T 22 einen auf der Bassnote *G* basierenden Takt hinzu, der von zahlreichen Ausgaben übernommen wurde. Dieser Ergänzungstakt ist nicht authentisch.

Fuga I C-dur

Ursprüngliche Lesarten in A:

Bach notierte die dritte Zählzeit des Themas in der rhythmischen Form ; später änderte er konsequent in (Stadium 3). In T 9 lautete der Sopran ursprünglich (dritte Zählzeit) e^2–fis^2 (Achtelnoten), der Tenor c^1–h–c^1–d^1. In T 12 lautete der Sopran ursprünglich (dritte Zählzeit) c^2–fis^1–gis^1–a^1.

Zur Edition:

15 u: Bach änderte das Thema im Stadium 4 nur hier zu

. Wir greifen auf die Fassung des Stadiums 3 zurück, die Bach an allen anderen Stellen, an denen das Thema auftritt, auch beibehalten hat.

Praeludium III Cis-dur

Ursprüngliche Lesarten in A:

Bach korrigierte T 1, 17 und 55 im Stadium 2, T 8, 16, 24 und 54 im Stadium 4.

Praeludium IV cis-moll

Zur Edition:

11 o: Haltebogen von ais^1 zu ais^1 T 12 möglicherweise in A von fremder Hand. Er findet sich aber auch in Abschriften.

Fuga IV cis-moll

Ursprüngliche Lesart in A:

Der Sopran in T 41 lautete ursprünglich

; in Stadium 4 korrigiert.

Zur Edition:

41 u: ♮ vor 6. Note fehlt in A. Nach den Regeln der Zeit – das Versetzungszeichen gilt nur für die Note, vor der es steht, nicht für den gesamten Takt – ist damit *a* und nicht *ais* gemeint. Unterstellt man eine gewisse Freizügigkeit in Richtung moderner Vorzeichensetzung – keine Wiederholung des Zeichens innerhalb des Taktes – könnte Bach auch *ais* beabsichtigt haben. Die Stelle hat in den Abschriften und demzufolge in modernen Ausgaben zur Verwirrung geführt; manche notieren *ais*. Wir plädieren für *a*, weil Bach im *Wohltemperierten Klavier* unseres Erachtens ganz im Sinne der alten Regeln notiert.

96 o: A notiert fis^2 wohl irrtümlich als Ganzenote.

Praeludium VI d-moll

25: Ausführungsvorschlag von András Schiff:

Die Arpeggio-Noten sollen gehalten werden.

Fuga VI d-moll

Ursprüngliche Lesarten in A:

Bach schrieb in T 26 im Sopran als letzte Note h^1; er änderte im Stadium 4 (eventuelle Korrektur eines eigenen Schreibversehens). Der Bass in T 35, Zählzeit zwei und drei, lautete zunächst *b*–*g* (Viertelnoten); Bach änderte im Stadium 2.

Praeludium VII Es-dur

Ursprüngliche Lesart in A:

Bach notierte in T 34 im Tenor als 8. Sechzehntel ♮*e*; er änderte im Stadium 4.

Fuga VII Es-dur

Zur Edition:

25 o: AB Anna Magdalena hat ♮ vor dem ersten es^2 (nachträgliche Korrektur von unbekannter Hand); diese Korrektur entspräche dem d^2 in T 24.

Praeludium VIII es-moll

Zur Edition:

13: Erstes Arpeggio in A nur für linke Hand; siehe aber die abschriftliche Überlieferung wie auch T 25 in A.

Fuga VIII dis-moll

Ursprüngliche Lesarten in A:

Vor Änderung in Stadium 2 notierte Bach in T 9 f. in der Mittelstimme

In T 20 f. lautete der Bass, der in Stadium 4 geändert wurde,

T 41, Bass, dritte Zählzeit, lautete Viertelnote dis^1: im Stadium 4 geändert. In T 48, Bass, schrieb Bach statt der beiden Sechzehntel (Stadium 4) zuerst die Achtelnote *dis*. T 73 f., in Stadium 4 geändert, lautete

Zur Edition:

13 o: In A ♮ statt ♯ vor *his*. Die Fuge wurde von Bach von d-moll zu dis-moll transponiert. Dabei vergaß er,

den für d-moll korrekten Auflöser zu ändern.

16 o: Erste Achtelnote h^2 gemäß A; in AB Walther *cis*^{3}. Bach berücksichtigt den Tonumfang des Tasteninstruments seiner Zeit; dieses endet in der Regel bei c^3.

Fuga IX E-dur

Ursprüngliche Lesarten in A:

In T 16, Bass, notierte Bach 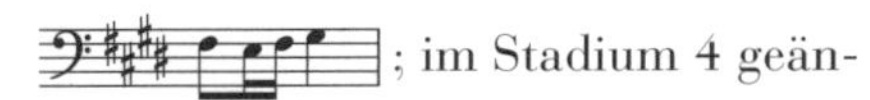 ; im Stadium 4 geändert. Die 2. Note in T 23 (Bass) lautete *dis*; in Stadium 3 geändert. Der Bass in T 27 wurde dreimal geändert: ursprünglich

In Stadium 4 ändert Bach wiederum.

Praeludium X e-moll

Ursprüngliche Lesarten in A:

In T 5, Sopran, hat Bach zweimal geändert: ursprünglich , in Stadium 2 wurde c^3 zu a^2 geändert, in Stadium 4 änderte Bach eingreifend. Der Sopran in T 7, 9, 11 lautete:

Bach änderte in Stadium 4.

Fuga XI F-dur

Ursprüngliche Lesart in A:

In T 42, Sopran, schrieb Bach

und änderte im Stadium 4.

Praeludium XII f-moll

Ursprüngliche Lesart in A:

T 14 f. u: 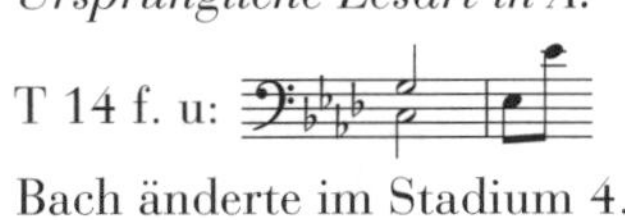

Bach änderte im Stadium 4.

Fuga XIII Fis-dur

Zur Edition:

In A fehlt jenes Blatt, das die Fuga XIII und die ersten sieben Takte (T 7 bricht nach der dritten Zählzeit ab) von Praeludium XIV enthält. Wir folgen AB Anna Magdalena. Die Ornamente im Normalstich sind dieser Abschrift entnommen, solche im Kleinstich stammen aus den anderen Abschriften.

Praeludium XIV fis-moll

Zur Edition:

A beginnt erst ab der vierten Zählzeit des siebten Taktes, weil ein Blatt fehlt (siehe Bemerkung zu Fuga XIII). Wir folgen in diesen Takten AB Anna Magdalena.

10 o: 10. Note *cis*^{2} gemäß A; in einigen Abschriften wohl irrtümlich a^1.

Fuga XV G-dur

Ursprüngliche Lesarten in A:

Bach notierte in T 67 *cis* und *cis*^{2}; im Stadium 4 änderte er von ♯ zu ♮. Das ♭ in T 81, Bass, fügte Bach erst in Stadium 4 hinzu. Die Mittelstimme in T 82 lautete

Bach korrigierte in Stadium 3.

Zur Edition:

25 u: Kein ♮ vor 4. und 6. Sechzehntelnote. Nach den Regeln der Zeit ist also c^1 und nicht *cis*^{1} gemeint. Die Abschriften folgen meist dem Autograph, setzen also kein Akzidens. Einige setzen ♮, wenige ♯; zur Problematik siehe Bemerkung zu Fuga IV, T 41 u.

Fuga XVII As-dur

Zur Edition:

6 o: In A fehlender Haltebogen gemäß AB Walther.

Fuga XVIII gis-moll

Zur Edition:

41 o: Bach schrieb im Autograph (A) zunächst das Zeichen ♮ vor *h*, das er durch einen kleinen Schrägstrich korrigierte. Auf den ersten Blick scheint es sich um eine Streichung zu handeln. Die Entstehungsgeschichte der Fuge stellt diese Korrektur aber in ein anderes Licht. Die Fuge ist abschriftlich in einer früheren gis-moll-Fassung überliefert (mit großer Schlussterz). Diese Fassung geht mit hoher Wahrscheinlichkeit auf ein in g-dorisch notiertes Autograph zurück. Zur Begründung: in der gis-moll-Frühfassung fehlen auffällig oft Erhöhungszeichen für die sechste Stufe (*e*), die in g-dorisch per se erhöht ist, also kein Akzidens erfordert. Es leuchtet ein, dass deshalb in der gis-moll-Notierung das ♯ vor *e* leicht vergessen wird. Die große Terz im Schlusstakt der gis-moll-Frühfassung setzt voraus, dass in der Urfassung in g-dorisch ♮ notiert war. Bach mag also durchaus bei der Niederschrift der Schlussfassung im Autograph (A) die hohe Terz im Auge gehabt haben, indem er irrtümlich den Auflöser aus g-dorisch setzte. Er bemerkte den Irrtum, korrigierte aber unzureichend. Die neuere Forschung plädiert für ♯. Die Abschriften im Umkreis von A notieren *h* (mit oder ohne ♮) oder *his* (mit ♯).

Fuga XIX A-dur

Zur Edition:

8 o: Ornament in A möglicherweise nicht von Bachs Hand.

Fuga XX a-moll

Zur Edition:

11 u: In A kein ♮ vor *d*; gemäß Regel meint Bach also *d*. Manche Abschriften setzen ♯; zur Problematik siehe Bemerkung zu Fuga IV, T 41 u.

Praeludium XXI B-dur

Zur Edition:

11 o: AB Anonymus 5 schreibt *adagio* vor. Die Anweisung dürfte auf Bach zurückgehen. Der Bachschüler Anonymus 5 gilt als zuverlässig.

Praeludium XXII b-moll

Ursprüngliche Lesart in A:

a in T 11, Tenor, ohne ♮; in Stadium 4 hinzugekommen.

Fuga XXII b-moll

Ursprüngliche Lesarten in A:
Keine Vorzeichen vor ces^2 bzw. c^2 in T 58 f., Alt; in T 58 ergänzte Bach im Stadium 4 ein ♭ vor ces^2. Vor d^2 T 59, Alt, stand ursprünglich ein ♭, das in Stadium 3 zu ♮ geändert wurde.

Fuga XXIV h-moll

Ursprüngliche Lesarten in A:
In T 4, Tenor, 5. Note, änderte Bach bereits bei der Niederschrift von cis^1 zu *h*. Die vorletzte Note im Alt erhielt gleichzeitig ♮. In T 14, Sopran, wurde in sehr frühem Stadium ♮ vor f^2 nachgetragen und ♯ vor e^2 getilgt. In T 36 o wollte Bach offenbar im Blick auf den begrenzten Umfang der Klaviatur bei drittletzter Note cis^3 vermeiden und schrieb dafür g^2; siehe Bemerkung zu Fuga VIII, T 16 o.

Zur Edition:
63 o: Bach notierte gis^2 statt cis^3; siehe Bemerkung zu T 36 o.
76 u: *S.D.G.* = Soli Deo Gloria (von Bachs Hand). Außerdem trägt er, wohl nach Abschluss des Korrekturstadiums 2, die Jahreszahl 1732 im Autograph nach.

München, Frühjahr 1997
Ernst-Günter Heinemann

Comments

u = upper staff; l = lower staff;
M = measure(s); A = autograph;
MS = copyist's manuscript

Prelude I C major

Editorial note:
In 1783, the copyist Schwencke added after M 22 a measure based on the bass note *G*, which was adopted by many editions. This supplementary measure is not authentic.

Fugue I C major

Initial readings in A:
Bach notated the rhythm of beat 3 of the subject as ♩♫; later he consistently changed it to ♩.♬ (stage 3). In M 9, beat 3 of the soprano originally read e^2–$f♯^2$ in eighth notes while the tenor read c^1–b–c^1–d^1. In M 12, beat 3 of the soprano originally read c^2–$f♯^1$–$g♯^1$–a^1.

Editorial note:
15 l: At stage 4 Bach changed the subject to [music example] in this bar only. We return to the version of stage 3, which Bach retained in all other passages where this subject occurs.

Prelude III C♯ major

Initial readings in A:

Bach revised M 1, 17 and 55 at stage 2, and M 8, 16, 24 and 54 at stage 4.

Prelude IV c♯ minor

Editorial note:
11 u: Tie from $a♯^1$–$a♯^1$ possibly non-autograph in A, but also found in manuscript copies.

Fugue IV c♯ minor

Initial reading in A:
In M 41 the soprano originally read

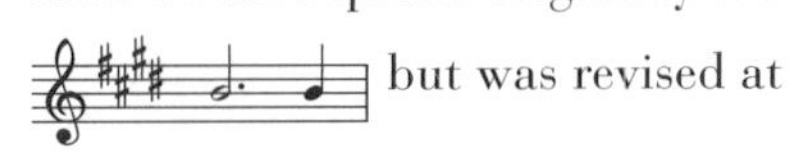

but was revised at stage 4.

Editorial notes:
14 l: The ♮ on note 6 is lacking in A. At that time it was general usage that naturals applied only to the next note rather than to the entire bar, in which case *a* is intended here rather than *a♯*. However, granting a certain modern license in the handling of accidentals (i.e. no repetition within the bar), Bach may also have intended *a♯*. This passage caused confusion in the MS copies, and thus also in modern editions, many of which give *a♯*. We prefer *a*, feeling that when Bach wrote out the *Well-Tempered Clavier* he adhered entirely to the established rules of notation.
96 u: A gives $f♯^2$ as a whole note, probably by mistake.

Prelude VI d minor

25: Performance suggestion by András Schiff:

The arpeggio notes should be held.

Fugue VI d minor

Initial readings in A:
In M 26 Bach wrote b^1 for the final note of the soprano, but changed it at stage 4, perhaps correcting his own slip of the pen. The bass on beats 2 and 3 of M 35 originally read *b♭*–*g* in quarternotes, but was changed by Bach at stage 2.

Prelude VII E♭ major

Initial reading in A:
In M 34 Bach wrote ♮*e* for the eighth 16th-note in the tenor, but changed it at stage 4.

Fugue VII E♭ major

Editorial note:
In M 25 u Anna Magdalena MS has ♮ in front of first $e♭^2$, a later correction in

unknown hand for the sake of consistency with the d^2 in M 24.

Prelude VIII e♭ minor

Editorial note:

In M 13 of A the first arpeggio covers the left hand only; however, see the MSS readings as well as M 25 of A.

Fugue VIII d♯ minor

Initial readings in A:

In M 9 f. Bach originally had  in the middle voice before making his stage 2 revisions. M 20 f. bass read as follows before being changed at stage 4:

M 41, bass, beat 3 was originally a quarter-note $d\sharp^1$ before being changed at stage 4. In M 48, Bach first wrote an eighth-note $d\sharp$ in the bass instead of the two sixteenths, which were added at stage 4. M 73 f.: Before stage 4 this bar read:

Editorial notes:

13 u: A has ♮ instead of ♯ in front of $b\sharp$. When transposing this fugue from d minor to d♯ minor Bach forgot to change the natural sign, which is correct for d minor.

16 u: First eighth-note b^2 taken from A; Walther MS has $c\sharp^3$. Here Bach had to observe the range of contemporary keyboards, which generally ended at c^3.

Fugue IX E major

Initial readings in A:

In M 16 Bach wrote in the bass, changing it at stage 4. In M 23 the second note in the bass read $d\sharp$, but was changed at stage 3. In M 27 the bass was changed three times: at stage 1 it originally read

at stage 2 

at stage 3 

Bach again changed it at stage 4.

Prelude X e minor

Initial readings in A:

In M 5 Bach altered the soprano twice: originally it read , at stage 2 c^3 was changed to a^2, and at stage 4 Bach revised it thoroughly. The soprano in M 7, 9 and 11 read:

Changed by Bach at stage 4.

Fugue XI F major

Initial reading in A:

In M 42 Bach wrote in the soprano, changing it at stage 4.

Prelude XII f minor

Initial reading in A:

M 14 f. l:

Changed by Bach at stage 4.

Fugue XIII F♯ major

Editorial note:

A lacks the leaf containing Fugue XIII and the first seven bars of Prelude XIV (M 7 stops at beat 3). We follow the Anna Magdalena MS. Ornaments in normal print have been taken from this MS, those in small print from the other MSS.

Prelude XIV f♯ minor

Editorial notes:

Due to a missing leaf (see comment on Fugue XIII), A does not start until beat 4 of M 7. We have taken the missing bars from the Anna Magdalena MS.

10 u: $c\sharp^2$ for note 10 derives from A; some MSS gave a^1, probably by mistake.

Fugue XV G major

Initial readings in A:

Bach wrote $c\sharp$ and $c\sharp^2$ in M 67, but changed ♯ to ♮ at stage 4. The ♭ in the bass of M 81 was not added until stage 4. The middle voice of M 82 read:

Corrected by Bach at stage 3.

Editorial notes:

25 l: Sixteenth-notes 4 and 6 lack ♮. Thus, according to contemporary usage, c^1 is intended rather than $c\sharp^1$. The MSS generally follow the autograph and omit the accidental. Some have ♮, a few give ♯. For further information on this problem see the comment on Fugue IV, M 41 l.

Fugue XVII A♭ major

Editorial note:

6 u: The tie lacking in A has been taken from the Walther MS.

Fuga XVIII g♯ minor

Editorial note:

41 u: In the autograph (A) Bach had originally placed the accidental ♮ before b, which he then corrected through a little diagonal slash. At first sight, it appears to be a deletion. However, the history of the genesis of the fugue casts a different light on this correction. The fugue was transmitted as a copy in an earlier g♯ minor version (with major third at the close). This version goes back in all likelihood to an autograph notated in the Dorian g mode. The reason: in the early g♯ minor version, sharp signs are missing remarkably often at the sixth degree (e), which is raised per se in Dorian g, and thus requires no accidental. It thus makes sense that the ♯ before the e was easily forgotten in the g♯ minor version. The major third in the final measure of the early g♯ minor version presupposes that ♮ was notated in the original version in Dorian g. Bach thus may perfectly well have been considering the raised third when writing down the final version in the autograph (A) and erroneously added the natural

sign from the Dorian g. He then noticed the error, but did not correct it adequately. Recent scholarship endorses the ♯. The copies in the circle of A notate *b* (with or without ♮) or b♯ (with ♯).

Fugue XIX A major

Editorial note:

8 u: The ornament in A may not be in Bach's hand.

Fugue XX a minor

Editorial notes:

11 l: A lacks ♮ on *d*; according to contemporary usage, Bach thus intended *d*. Many MSS have ♯. For further information on this problem see the comment on Fugue IV, M 41 l.

Prelude XXI B♭ major

Editorial note:

11 u: Anonymous 5 MS specifies *adagio*. This instruction probably stems from Bach. Anonymous 5 was a Bach pupil and is generally considered reliable.

Prelude XXII b♭ minor

Initial reading in A:

In M 11, tenor give *a* without ♮, which was added at stage 4.

Fugue XXII b♭ minor

Initial readings in A:

M 58 f. have no accidentals on $c\flat^2$ or c^2 in alto; Bach added ♭ to $c\flat^2$ in M 58 at stage 4. In M 59 the d^2 in the alto was originally preceded by a ♭, which was then changed to ♮ at stage 3.

Fugue XXIV b minor

Initial readings in A:

In M 4, Bach already changed note 5 of the tenor from $c\sharp^1$ to *b* while writing out his manuscript, at the same timing adding ♮ to the penultimate note in the alto. In M 14, a ♮ was placed in front of the f^1 in the soprano at a very early stage and the ♯ was deleted from e^2. For the antepenultimate note in M 36 u, Bach apparently wanted to avoid $c\sharp^3$ in view of the limited range of his keyboard and therefore wrote g^2; see comment on M 16 u of Fugue VIII.

Editorial notes:

63 u: Bach wrote $g\sharp^2$ instead of $c\sharp^3$; see comment on M 36 u.

76 l: Bach wrote the initials *S.D.G.* for "Soli Deo Gloria" and also added the year 1732 to his autograph, probably after completing stage 2 of his revisions.

Munich, spring 1997
Ernst-Günter Heinemann

Remarques

sup = piano, portée supérieure; inf = piano, portée inférieure; M = mesure(s); A = autographe; C = copie

Prélude I Ut majeur

Édition:

En 1783, le copiste Schwencke a ajouté après la M 22 une mesure supplémentaire reposant sur un *Sol* à la basse. Cet ajout a été repris dans de nombreuses éditions ultérieures, mais n'est pas authentique.

Fugue I Ut majeur

Notations initiales dans A:

Bach note le 3ème temps du thème sous la forme rythmique ♩♫, il modifie ultérieurement en toute logique en ♩. ♬ (stade 3). À M 9, le soprano est noté initialement (3ème temps) mi^2–$fa\sharp^2$ (croches), le ténor do^1–si–do^1–$ré^1$. À M 12, le soprano est noté initialement (3ème temps) do^2–$fa\sharp^1$–$sol\sharp^1$–la^1.

Édition:

15 inf: Ici seulement, Bach modifie le sujet au stade 4 en

Nous reprenons la version du stade 3, conservée par Bach partout où le sujet est énoncé.

Prélude III Ut♯ majeur

Notations initiales dans A:

Bach corrige M 1, 17, et 55 au stade 2, M 8, 16, 24 et 54 au stade 4.

Prélude IV ut♯ mineur

Édition:

11 sup: Liaison de tenue de $la\sharp^1$ au $la\sharp^1$ de M 12 éventuellement tracée dans A par une main étrangère. On la retrouve cependant dans le copies.

Fugue IV ut♯ mineur

Notation initiale dans A:

Soprano noté initialement dans A

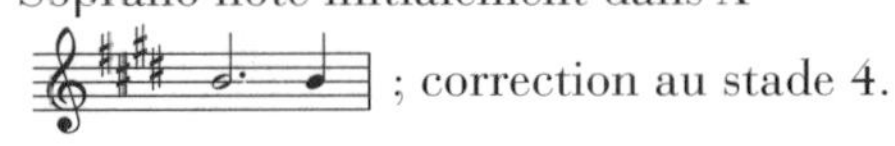

; correction au stade 4.

Édition:

41 inf: Le ♮ précédant la 6ème note est absent de A. Selon les règles de notation de l'époque – l'accident ne vaut que pour la note qu'il précède et non pour toute la mesure –, il s'agit donc d'un *la* et non d'un *la*♯. Si l'on présuppose toutefois chez le compositeur une certaine liberté de notation, dans le sens de la notation moderne, c'est-à-dire sans répétition de l'accident au sein de la mesure, il est possible que Bach ait en fait voulu un *la*♯. Cet endroit a entraîné une certaine confusion au niveau des copies et par suite dans les éditions modernes, dont certaines comportent *la*♯. Convaincus que Bach respecte les règles de notation de son temps dans le *Clavier bien tempéré*, nous optons pour un *la*.

96 sup: A note le *fa*♯^{2} sous forme de ronde, probablement par erreur.

Prélude VI ré mineur

25: Mode d'exécution suggéré par András Schiff:

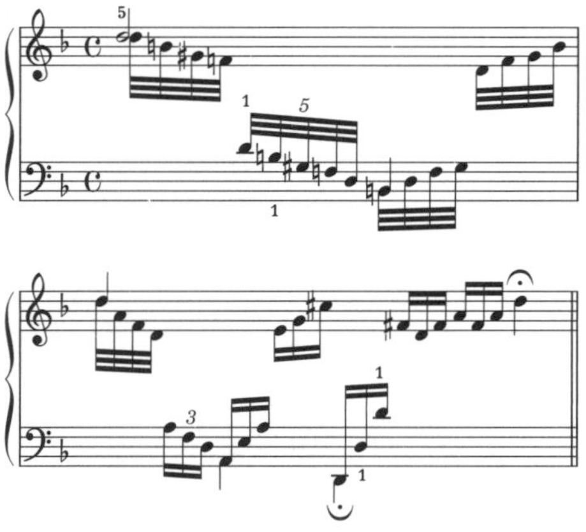

Les notes arpégées doivent être tenues.

Fugue VI ré mineur

Notations initiales dans A:

Bach note pour le soprano à M 26, comme dernière note, un *si*^{1}; il corrige au stade 4 (correction éventuelle d'une faute de notation personnelle). La basse de M 35, 2ème et 3ème temps, est notée initialement *si*♭–*sol* (noires); correction de Bach au stade 2.

Prélude VII Mi♭ majeur

Notation initiale dans A:

Bach note à M 34 pour le ténor ♮*mi* comme 8ème double croche; il corrige au stade 4.

Fugue VII Mi♭ majeur

Édition:

25 sup: C Anna Magdalena comporte un ♮ devant le premier *mi*♭^{2} (correction faite après coup par une main étrangère); cette correction correspondrait au *ré*^{2} de M 24.

Prélude VIII mi♭ mineur

Édition:

13: Dans A, premier arpège pour la main gauche seulement; cf. cependant la notation des copies ainsi que M 25 dans A.

Fugue VIII ré♯ mineur

Notations initiales dans A:

Avant la modification du stade 2, Bach note pour la voix moyenne de M 9 et s.

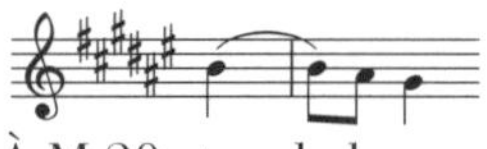

À M 20 et s., la basse, modifiée ultérieurement au stade 4, est noté

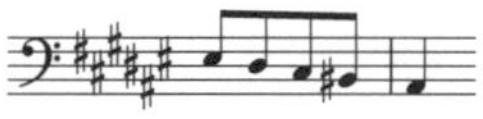

M 41, basse, 3ème temps: *ré*♯^{1} noire; correction ultérieure au stade 4. À la basse de M 48, Bach note initialement *ré*♯ croche au lieu des deux doubles croches (stade 4). M 73 et s., modifiées ultérieurement au stade 4, sont notées

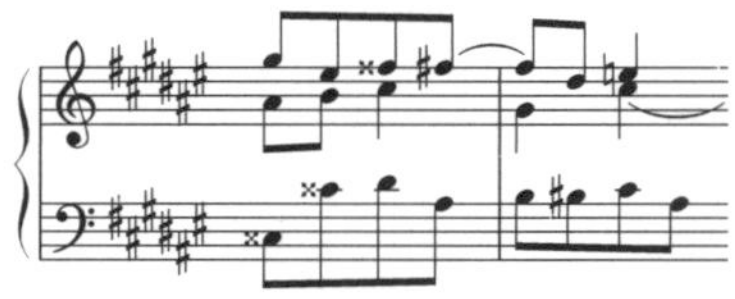

Édition:

13 sup: Dans A, ♮ au lieu de ♯ devant *si*♯. Bach a transposé cette fugue de ré mineur en ré♯ mineur et oublié ce faisant de modifier le bécarre, correct en soi en ré mineur.

16 sup: Première croche, *si*^{2}, selon A; C Walther note *do*♯^{3}. Bach tient compte ici de la tessiture de l'instrument à clavier de son époque, laquelle se termine au *do*^{3}.

Fugue IX Mi majeur

Notations initiales dans A:

À M 16, Bach note à la basse

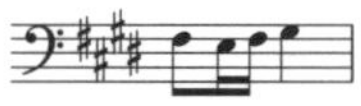

; correction ultérieure au stade 4. La 2ème note de M 23 (basse) est notée *ré*♯; correction au stade 3. La basse de M 27 a été modifiée trois fois. Notation initiale:

stade 1: 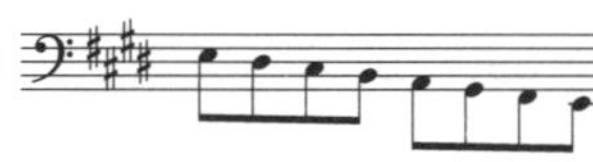

stade 2: 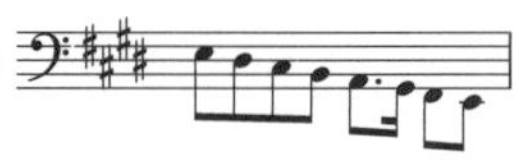

stade 3: 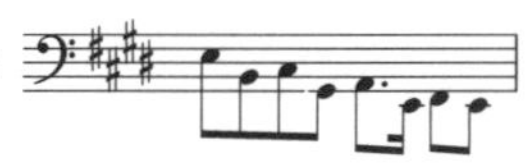

Bach effectue une nouvelle correction au stade 4.

Prélude X mi mineur

Notations initiales dans A:

À M 5, Bach a modifié à deux reprises la voix de soprano. Notation initiale:

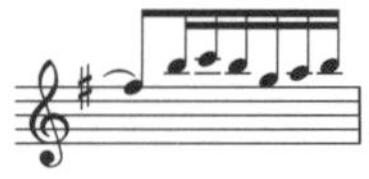

; au stade 2, Bach remplace *do*^{3} par *la*^{2}. Correction décisive au stade 4. M 7, 9, 11 sont notées comme suit pour le soprano:

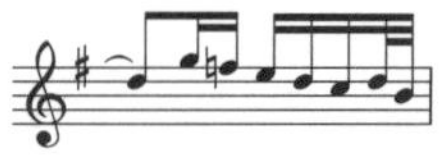

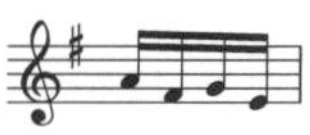

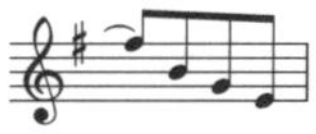

Bach modifie au stade 4.

Fugue XI Fa majeur

Notation initiale dans A:

À M 42, Bach note 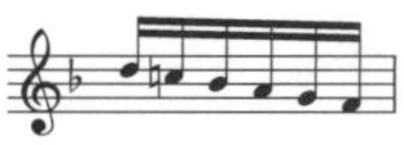 pour le soprano; modification au stade 4.

Prélude XII fa mineur

Notation initiale dans A:

M 14 et s. inf: 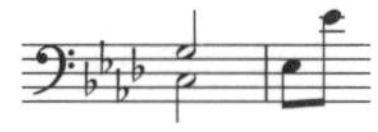 modification de Bach au stade 4.

Fugue XIII Fa♯ majeur

Édition:

Absence dans A de la page comportant le texte de la fugue XIII et les sept premières mesures (M 7 s'interrompt après le 3ème temps) du prélude XIV. Nous nous conformons à C Anna Magdalena. Les ornements imprimés en caractères normaux proviennent de cette copie, ceux en petits caractères sont issus des autres copies.

Prélude XIV fa♯ mineur

Édition:

A débute seulement au 4ème temps de la 7ème mesure parce qu'il manque une page (cf. remarque relative à la fugue XIII). Nous nous conformons pour ces mesures à C Anna Magdalena.

10 sup: 10ème note, *do*♯^{2}, selon A; certaines copies notent probablement par erreur *la*^{1}.

Fugue XV Sol majeur

Notations initiales dans A:
À M 67, Bach note *do*♯ et *do*♯^{2}; il modifie au stade 4 en replaçant le ♯ par un ♮. Le ♭ de M 81 à la basse est un rajout de Bach au stade 4. La voix moyenne est notée à M 82; correction de Bach au stade 3.

Édition:
25 inf: Pas de ♮ devant les 4ème et 6ème doubles croches. Selon les règles de notation de l'époque, il s'agit donc d'un *do*^{1} et non d'un *do*♯^{1}. Les copies suivent le plus souvent l'autographe et ne notent par conséquent pas d'accident. Quelques-unes notent un ♮, un petit nombre ont un ♯; cf. à ce sujet la remarque relative à la fugue IV, M 41 inf.

Fugue XVII La♭ majeur

Édition:
6 sup: Liaison de tenue absente de A, notée conformément à C Walther.

Fugue XVIII sol♯ mineur

Édition:
41 sup: Bach a d'abord écrit un ♮ devant le *si* dans l'autographe (A) et il l'a corrigé ensuite d'un petit trait oblique. À première vue, il semble bien qu'il s'agisse d'une suppression. Cependant, la genèse de la fugue place cette correction sous un jour différent. La fugue nous a été transmise, sous forme de copie, dans une version initiale en *sol* ♯ mineur (avec tierce majeure finale). Selon toute probabilité, cette version se rattache à un autographe noté en *sol* mineur dorien. Explication: ce qui frappe dans la version initiale en *sol* ♯ mineur, c'est l'absence fréquente de signe d'élévation pour le sixième degré (*mi*), lequel étant déjà élevé en soi en *sol* mineur dorien ne nécessite donc pas d'accident. De ce fait, il apparaît logique que dans la notation en *sol* mineur, le ♯ soit facilement omis devant le *mi*. La tierce majeure de la mesure finale de la version initiale en *sol* ♯ mineur présuppose la notation d'un ♮ dans la première version en *sol* mineur dorien. Il est par conséquent tout à fait plausible que Bach, écrivant sa version finale dans l'autographe (A), ait pensé à la tierce majeure et noté ainsi par erreur le ♮ provenant du *sol* mineur dorien. Remarquant alors son erreur, il aurait corrigée mais insuffisamment. La recherche récente plaide pour un ♯. Les copies se rattachant à A notent *si* (avec ou sans ♮) ou *si* ♯ (avec ♯).

Fugue XIX La majeur

Édition:
8 sup: Ornement dans A éventuellement d'une autre main que celle de Bach.

Fugue XX la mineur

Édition:
11 inf: A ne comporte pas de ♮ devant le *ré;* Bach écrit donc, conformément à la règle, un *ré*. Certaines copies notent un ♯; cf. à ce sujet la remarque relative à la fugue IV, M 41 inf.

Prélude XXI Si majeur

Édition:
11 sup: C Anonymus 5 indique *adagio*. L'indication remonte probablement à Bach. Anonymus 5, un élève de Bach, peut être considéré comme fiable.

Prélude XXII si♭ mineur

Notation initiale dans A:
la de M 11, au ténor, noté sans ♮; l'altération a été rajoutée au stade 4.

Fugue XXII si♭ mineur

Notations initiales dans A:
À M 58 et s., alto, pas d'altération devant *do*♭^{2} et *do*^{2}; Bach rajoute un ♭ devant le *do*♭^{2} de M 58 au stade 4. Le *ré*^{2} de M 59 à l'alto est précédé initialement d'un ♭, corrigé en ♮ au stade 3.

Fugue XXIV si mineur

Notations initiales dans A:
À M 4, ténor, 5ème note, Bach corrige son *do*♯^{1} en *si* dès sa première mise au propre. L'avant-dernière note de l'alto reçoit en même temps un ♮. À M 14, soprano, rajout d'un ♮ devant *fa*^{2} à un stade précoce et suppression du ♯ devant *mi*^{2}. M 36 sup: Vu la tessiture limitée de l'instrument à clavier, Bach a voulu manifestement éviter le *do*♯^{3} et note un *sol*^{2} à la place; cf. la remarque relative à la fugue VIII, M 16 sup.

Édition:
63 sup: Bach note *sol*♯^{2} au lieu de *do*♯^{3}; cf. la remarque relative à M 36 sup.
76 inf: *S.D.G.* = Soli Deo Gloria (de la main de Bach). Le compositeur rajoute aussi après coup la date 1732 sur son autographe, probablement après avoir terminé ses corrections du stade 2.

Munich, printemps 1997
Ernst-Günter Heinemann